비례식과 비례배분

교과 과정 완벽 대비
수학 전문가가 만든 연산 교재
다양한 형태의 문제로 재미있게 연습하는 원리셈

지은이의 말

수학은 원리로부터

수학은 구체물의 관계를 숫자와 기호의 약속으로 나타내는 추상적인 학문입니다. 이 점이 아이들이 수학을 어려워하는 가장 큰 이유입니다. 이러한 수학은 제대로 된 이해를 동반할 때 비로소 힘을 발휘할 수 있습니다. 수학은 어느 단계에서나 원리가 가장 중요합니다.

수학 교육의 변화

답을 내는 방법만 알아도 되는 수학 교육의 시대는 지나고 있습니다. 연산도 한 가지 방법만 반복 연습하기 보다 다양한 풀이 방법이 중요합니다. 교과서는 왜 그렇게 해야 하는지 가르쳐 주고 다양한 방법을 생각하도록 하지만, 학생들은 단순하게 반복되는 연습에 원리는 잊어버리고 기계적으로 답을 내다보니 응용된 내용의 이해가 부족합니다.

연산 학습은 꾸준히

유초등 학습 단계에 따라 4권~6권의 구성으로 매일 10분씩 꾸준히 공부할 수 있습니다. 원리와 다양한 방법의 학습은 그림과 함께 재미있게, 연습은 다양하게 진행하되 마무리는 집중하여 진행하도록 했습니다. 부담 없는 하루 학습량으로 꾸준히 공부하다 보면 어느새 연산 실력이 부쩍 늘어난 것을 알 수 있습니다.

개정판 원리셈은

동영상 강의 확대/초등 고학년 원리 학습 과정 강화 등으로 교과 과정을 완벽하게 대비할 수 있도록 원리와 개념, 계산 방법을 학습합니다. 단계별 원리 학습은 물론이고 연습도 강화했습니다.

학부모님들의 연산 학습에 대한 고민이 원리셈으로 해결되었으면 하는 바람입니다.

지은이 천종현

원리셈의 특징

원리셈의 학습 구성

한 권의 책은 매일 10분 / 매주 5일 / 6주 학습

원리셈의 시나브로 강해지는 학습 알고리즘

초등 원리셈은

시작은 원리의 이해로부터, 마무리는 충분한 연습과 성취도 확인까지

체계적인 학습 구성

쉽게 이해하고 스스로 공부!
실수가 많은 부분은 별도로 확인하고 연습!
주제에 따라 실전을 위한 확장적 사고가 필요한 내용까지!
원리로 시작되는 단계별 학습으로 곱셈구구마저 저절로 외워진다고 느끼도록!

원리셈 전체 단계

키즈 원리셈

5·6세	
1권	5까지의 수
2권	10까지의 수
3권	10까지의 수 세어 쓰기
4권	모아 세기
5권	빼어 세기
6권	크기 비교와 여러 가지 세기

6·7세	
1권	10까지의 더하기 빼기 1
2권	10까지의 더하기 빼기 2
3권	10까지의 더하기 빼기 3
4권	20까지의 더하기 빼기 1
5권	20까지의 더하기 빼기 2
6권	20까지의 더하기 빼기 3

7·8세	
1권	7까지의 모으기와 가르기
2권	9까지의 모으기와 가르기
3권	덧셈과 뺄셈
4권	10 가르기와 모으기
5권	10 만들어 더하기
6권	10 만들어 빼기

초등 원리셈

1학년	
1권	받아올림/내림 없는 두 자리 수 덧셈, 뺄셈
2권	덧셈구구
3권	뺄셈구구
4권	□ 구하기
5권	세 수의 덧셈과 뺄셈
6권	(두 자리 수)±(한 자리 수)

2학년	
1권	두 자리 수 덧셈
2권	두 자리 수 뺄셈
3권	세 수의 덧셈과 뺄셈
4권	곱셈
5권	곱셈구구
6권	나눗셈

3학년	
1권	세 자리 수의 덧셈과 뺄셈
2권	(두/세 자리 수)×(한 자리 수)
3권	(두/세 자리 수)×(두 자리 수)
4권	(두/세 자리 수)÷(한 자리 수)
5권	곱셈과 나눗셈의 관계
6권	분수

4학년	
1권	큰 수의 곱셈
2권	큰 수의 나눗셈
3권	분모가 같은 분수의 덧셈과 뺄셈
4권	소수의 덧셈과 뺄셈

5학년	
1권	혼합 계산
2권	약수와 배수
3권	분모가 다른 분수의 덧셈과 뺄셈
4권	분수와 소수의 곱셈

6학년	
1권	분수의 나눗셈
2권	소수의 나눗셈
3권	비와 비율
4권	비례식과 비례배분

초등 원리셈의 단계별 학습 목표

원리와 연습을 모두 잡는 원리셈!!

학년별 학습 목표와 다른 책에서는 만나기 힘든 특별한 내용을 확인해 보세요.

1학년 원리셈

모든 연산 과정 중 실수가 가장 많은 덧셈, 뺄셈의 집중 연습
여러 가지 계산 방법 알기
덧셈, 뺄셈의 관계를 이용한 '□ 구하기'의 이해

2학년 원리셈

두 자리 덧셈, 뺄셈의 여러 가지 계산 방법의 숙지와 이해
곱셈 개념을 폭넓게 이해하고, 곱셈구구를 힘들지 않게 외울 수 있는 구성
나눗셈은 3학년 교과의 내용이지만 곱셈구구를 외우는 것을 도우면서 곱셈구구의 범위에서 개념 위주 학습

3학년 원리셈

기본 연산은 정확한 이해와 충분한 연습
곱셈, 나눗셈의 관계를 이용한 '□ 구하기'의 이해
분수는 학생들이 어려워 하는 부분을 중점적으로 이해하고, 연습하도록 구성

4학년 원리셈

작은 수의 곱셈, 나눗셈 방법을 확장하여 이해하는 큰 수의 곱셈, 나눗셈
교과서에는 나오지 않는 실전적 연산을 포함
많이 틀리는 내용은 별도 집중학습

5학년 원리셈

연산은 개념과 유형에 따라 단계적으로 학습 후 충분한 연습
약수와 배수는 기본기를 단단하게 할 수 있는 체계적인 구성

6학년 원리셈

분수와 소수의 나눗셈은 원리를 단순화하여 이해
비의 개념을 확장하여 문장제 문제 등에서 만나는 비례 관계의 이해와 적용
비와 비례식은 중등 수학을 대비하는 의미도 포함. 강추 교재!!

6학년 구성과 특징

분수와 소수의 나눗셈은 여러 가지 상황에서 원리를 알아보고, 연습은 단순화하여 충분하게 할 수 있도록 했고, 비와 비율은 단순한 연습뿐 아니라 학생들이 어려워 하는 부분을 집중적으로 연습할 수 있도록 구성하였습니다.

원리

원리를 직관적으로 이해하고 쉽게 공부할 수 있도록 하였습니다.

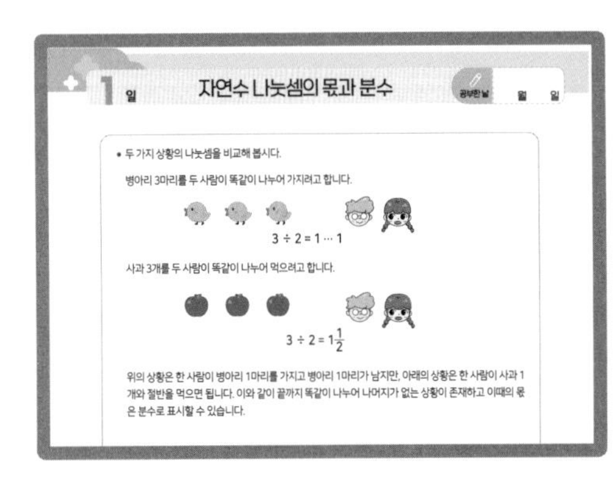

1일 자연수 나눗셈의 몫과 분수 공부한 날 월 일

• 두 가지 상황의 나눗셈을 비교해 봅시다.

병아리 3마리를 두 사람이 똑같이 나누어 가지려고 합니다.

$3 \div 2 = 1 \cdots 1$

사과 3개를 두 사람이 똑같이 나누어 먹으려고 합니다.

$3 \div 2 = 1\frac{1}{2}$

위의 상황은 한 사람이 병아리 1마리를 가지고 병아리 1마리가 남지만, 아래의 상황은 한 사람이 사과 1개와 절반을 먹으면 됩니다. 이와 같이 끝까지 똑같이 나누어 나머지가 없는 상황이 존재하고 이때의 몫은 분수로 표시할 수 있습니다.

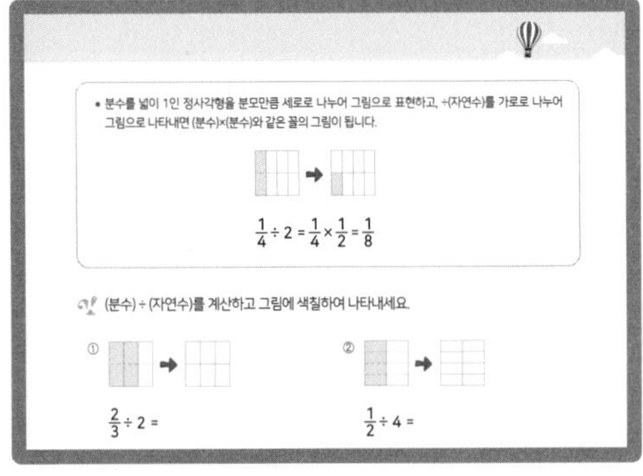

• 분수를 넓이 1인 정사각형을 분모만큼 세로로 나누어 그림으로 표현하고, ÷(자연수)를 가로로 나누어 그림으로 나타내면 (분수)×(분수)와 같은 꼴의 그림이 됩니다.

$\frac{1}{4} \div 2 = \frac{1}{4} \times \frac{1}{2} = \frac{1}{8}$

(분수) ÷ (자연수)를 계산하고 그림에 색칠하여 나타내세요.

① $\frac{2}{3} \div 2 =$

② $\frac{1}{2} \div 4 =$

다양한 계산 방법

다양한 계산 방법을 공부함으로써 수를 다루는 감각을 키우고, 상황에 따라 더 정확하고 빠른 계산을 할 수 있도록 하였습니다.

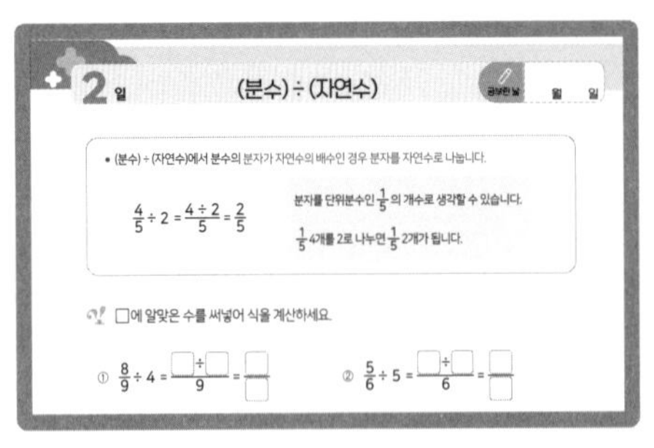

2일 (분수) ÷ (자연수) 공부한 날 월 일

• (분수) ÷ (자연수)에서 분수의 분자가 자연수의 배수인 경우 분자를 자연수로 나눕니다.

$\frac{4}{5} \div 2 = \frac{4 \div 2}{5} = \frac{2}{5}$

분자를 단위분수인 $\frac{1}{5}$의 개수로 생각할 수 있습니다.

$\frac{1}{5}$ 4개를 2로 나누면 $\frac{1}{5}$ 2개가 됩니다.

□에 알맞은 수를 써넣어 식을 계산하세요.

① $\frac{8}{9} \div 4 = \frac{\square \div \square}{9} = \frac{\square}{\square}$

② $\frac{5}{6} \div 5 = \frac{\square \div \square}{6} = \frac{\square}{\square}$

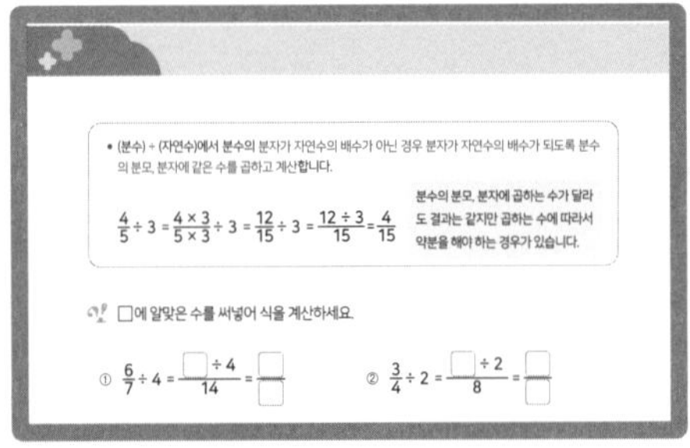

• (분수) ÷ (자연수)에서 분수의 분자가 자연수의 배수가 아닌 경우 분자가 자연수의 배수가 되도록 분수의 분모, 분자에 같은 수를 곱하고 계산합니다.

$\frac{4}{5} \div 3 = \frac{4 \times 3}{5 \times 3} \div 3 = \frac{12}{15} \div 3 = \frac{12 \div 3}{15} = \frac{4}{15}$

분수의 분모, 분자에 곱하는 수가 달라도 결과는 같지만 곱하는 수에 따라서 약분을 해야 하는 경우가 있습니다.

□에 알맞은 수를 써넣어 식을 계산하세요.

① $\frac{6}{7} \div 4 = \frac{\square \div 4}{14} = \frac{\square}{\square}$

② $\frac{3}{4} \div 2 = \frac{\square \div 2}{8} = \frac{\square}{\square}$

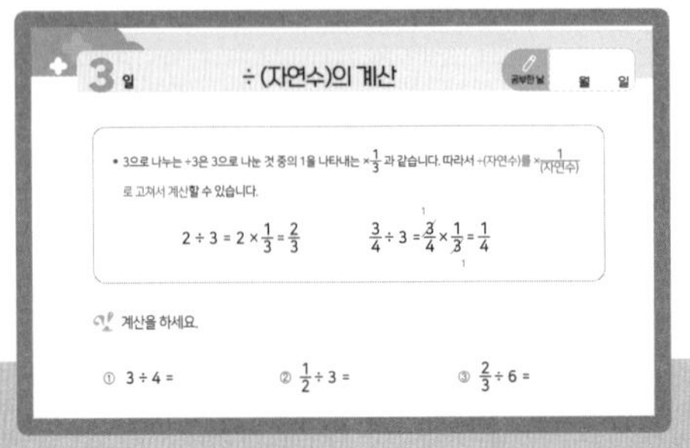

3일 ÷ (자연수)의 계산 공부한 날 월 일

• 3으로 나누는 ÷3은 3으로 나눈 것 중의 1을 나타내는 $\times\frac{1}{3}$과 같습니다. 따라서 ÷(자연수)를 $\times\frac{1}{(자연수)}$로 고쳐서 계산할 수 있습니다.

$2 \div 3 = 2 \times \frac{1}{3} = \frac{2}{3}$

$\frac{3}{4} \div 3 = \frac{3}{4} \times \frac{1}{3} = \frac{1}{4}$

계산을 하세요.

① $3 \div 4 =$

② $\frac{1}{2} \div 3 =$

③ $\frac{2}{3} \div 6 =$

연습

기본 연습 문제를 중심으로 여러 형태의 문제로 지루하지 않게 반복하여 연습할 수 있도록 구성하였습니다.

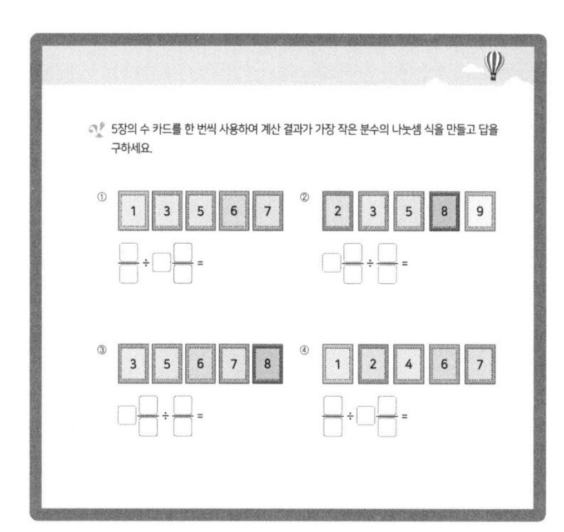

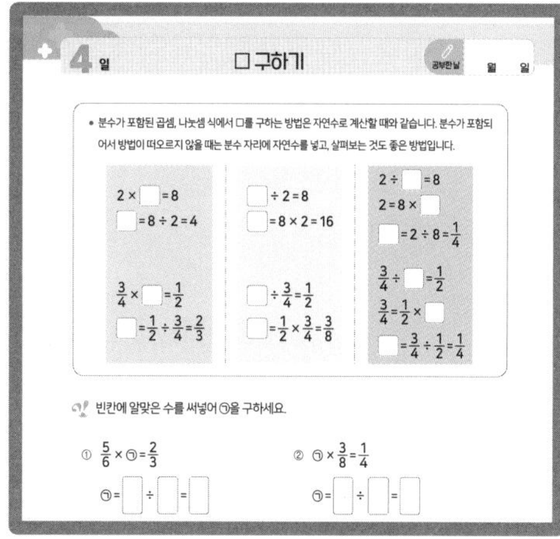

도전! 계산왕

주제가 구분되는 두 개의 단원은 정확성과 빠른 계산을 위한 집중 연습으로 주제를 마무리 합니다.

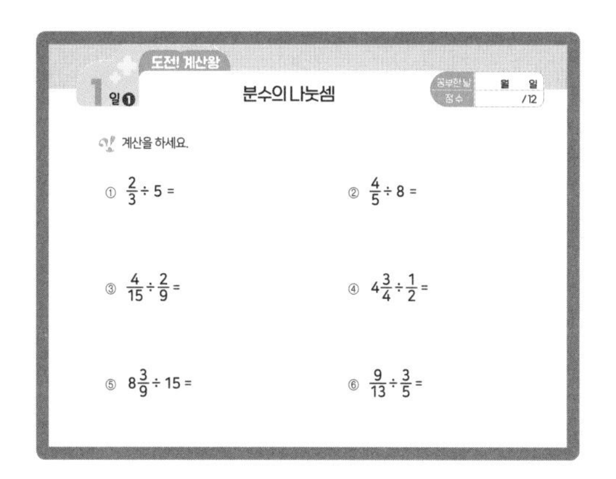

성취도 평가

개념의 이해와 연산의 수행에 부족한 부분은 없는지 성취도 평가를 통해 확인합니다.

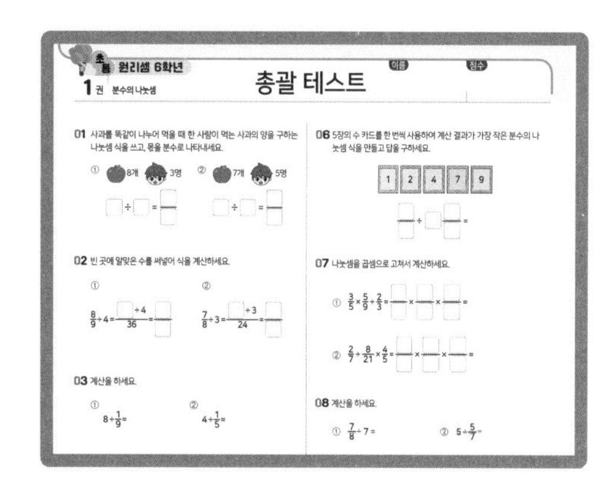

책의 사이사이에 학생의 학습을 돕기 위한 저자의 내용을 잘 이용하세요.

단원의 학습 내용과 방향

한 주차가 시작되는 쪽의 아래에 그 단원의 학습 내용과 어떤 방향으로 공부하는지를 설명해 놓았습니다.
학부모님이나 학생이 단원을 시작하기 전에 가볍게 읽어 보고 공부하도록 해 주세요.

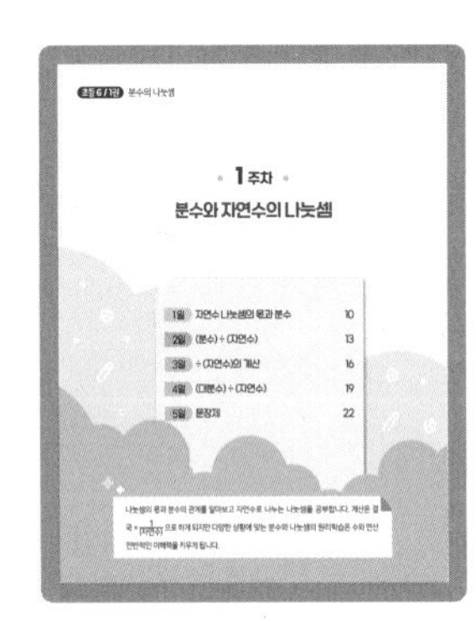

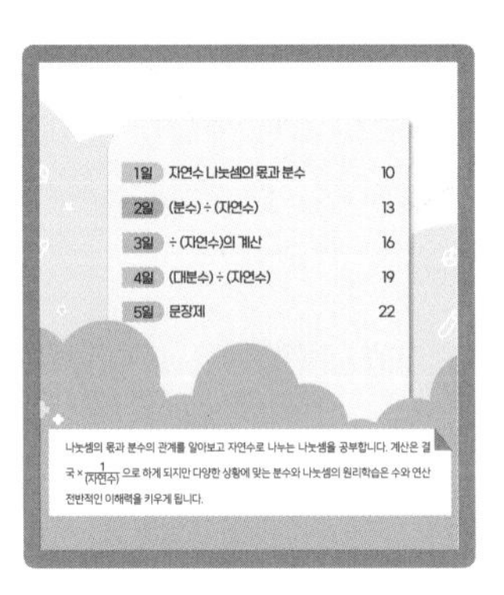

이해를 돕는 저자의 동영상 강의

처음 접하는 원리/개념과 연산 방법의 이해를 돕기 위한 동영상 강의가 있으니 이해가 어려운 내용은 QR코드를 이용하여 편리하게 동영상 강의를 보고, 공부하도록 하세요.

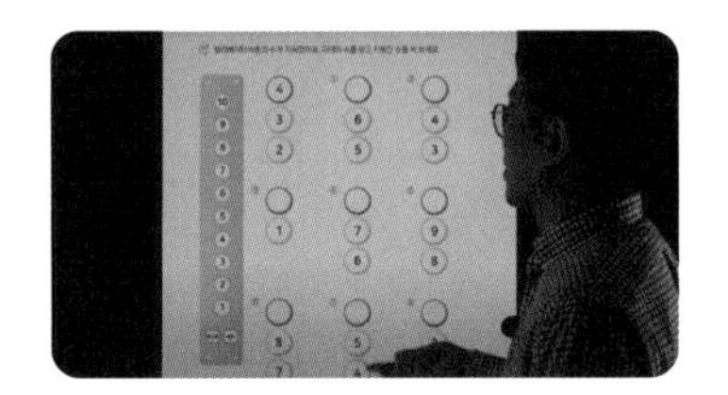

학습 Tip

간략한 도움글은 각 쪽의 아래에 있습니다.

천종현수학연구소 네이버 카페와 홈페이지를 활용하세요.

카페와 홈페이지에는 추가 문제 자료가 있고, 연산 외에서 수학 학습에 어려움을 상담 받을 수 있습니다.

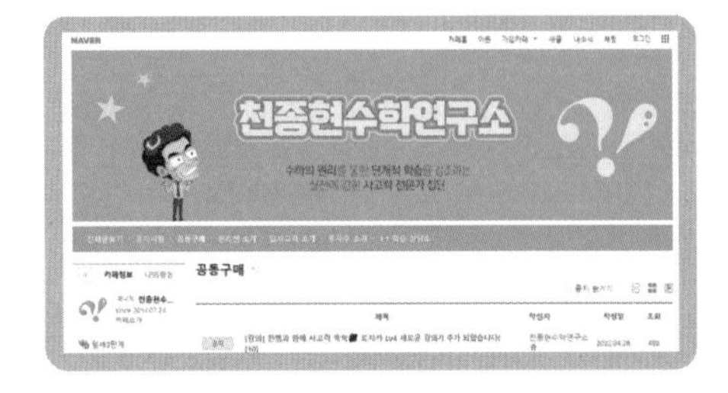

네이버에서 천종현수학연구소를 검색하세요.

1주차

비와 비례식

비율의 크기가 같은 두 비를 비례식으로 나타내는 연습을 합니다. 또한 비례식을 이용해서 비를 다른 비로 나타내는 연습을 합니다.

비와 비례식

공부한 날 월 일

- 비 2 : 3에서 기호 ':' 앞에 있는 2를 전항, 뒤에 있는 3을 후항이라고 합니다.
- 비율이 같은 두 비를 기호 '='를 사용하여 2 : 3 = 4 : 6과 같이 나타내는 식을 비례식이라고 합니다.

2 : 3의 비율 ➡ $\frac{2}{3}$

4 : 6의 비율 ➡ $\frac{4}{6}=\frac{2}{3}$

➡ 2 : 3 = 4 : 6

두 비율로 비례식을 세웠습니다. □에 알맞은 수를 써넣으세요.

① $\frac{5}{3}=\frac{\square}{9}$ ➡ 5 : 3 = □ : 9

② $\frac{15}{40}=\frac{3}{\square}$ ➡ 15 : 40 = 3 : □

③ $\frac{7}{9}=\frac{\square}{36}$ ➡ 7 : 9 = □ : 36

④ $\frac{8}{11}=\frac{24}{\square}$ ➡ 8 : 11 = 24 : □

⑤ $\frac{\square}{3}=\frac{24}{18}$ ➡ □ : 3 = 24 : 18

⑥ $\frac{49}{\square}=\frac{7}{6}$ ➡ 49 : □ = 7 : 6

Tip 3을 기준량으로, 5를 비교하는 양으로 하여 비교할 때, 전항으로 수 5를 쓰고, 후항으로 수 3을 써서 5 : 3으로 나타냅니다.

- 비의 전항과 후항에 0이 아닌 같은 수를 곱하거나 나누어도 비율은 같습니다.

$3:4=(3\times3):(4\times3)=9:12$

$9:12=(9\div3):(12\div3)=3:4$

➡ $3:4=9:12$

□에 알맞은 수를 써넣으세요.

① $3:2=(3\times3):(2\times\square)=9:\square$

➡ $3:2=9:\square$

② $8:6=(8\div2):(6\div\square)=4:\square$

➡ $8:6=4:\square$

③ $8:7=(8\times\square):(7\times3)=\square:21$

➡ $8:7=\square:21$

④ $15:10=(15\div5):(10\div\square)=3:\square$

➡ $15:10=3:\square$

⑤ $5:4=(5\times4):(4\times\square)=20:\square$

➡ $5:4=20:\square$

⑥ $12:4=(12\div2):(4\div\square)=6:\square$

➡ $12:4=6:\square$

⑦ $9:7=(9\times\square):(7\times4)=\square:28$

➡ $9:7=\square:28$

⑧ $20:25=(20\div5):(25\div\square)=4:\square$

➡ $20:25=4:\square$

문제를 읽고 빈 곳에 알맞은 수를 써넣으세요.

① ×□ 8 : 7 ×□ / 24 : □

➡ 8 : 7 = 24 : □

② ÷□ 16 : 12 ÷□ / □ : 3

➡ 16 : 12 = □ : 3

③ ×□ 4 : 8 ×□ / □ : 40

➡ 4 : 8 = □ : 40

④

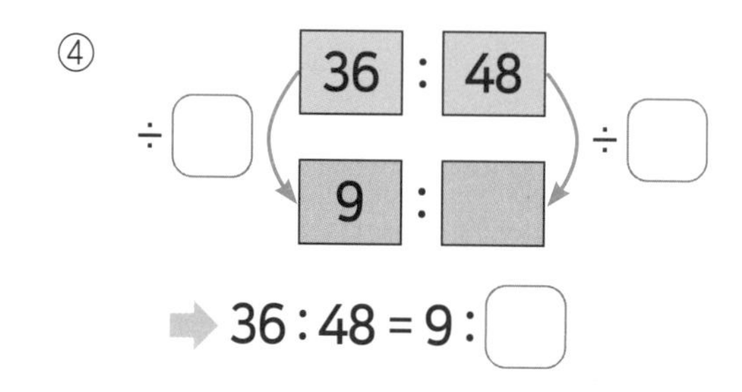

➡ 36 : 48 = 9 : □

⑤ ×□ 5 : 7 ×□ / □ : 28

➡ 5 : 7 = □ : 28

⑥

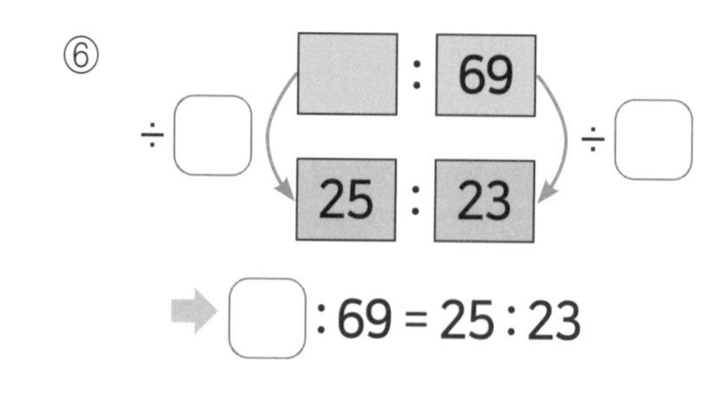

➡ □ : 69 = 25 : 23

⑦ ×□ 9 : □ ×□ / 81 : 45

➡ 9 : □ = 81 : 45

⑧ ÷□ 24 : 30 ÷□ / 12 : □

➡ 24 : 30 = 12 : □

2 일 간단한 자연수의 비로 나타내기

공부한 날 월 일

- 전항과 후항을 두 수의 최대공약수로 나누어 가장 간단한 자연수의 비로 나타냅니다.

8과 12의 최대공약수 : 4 ➡ 8 : 12 = (8 ÷ 4) : (12 ÷ 4) = 2 : 3

가장 간단한 자연수의 비로 나타내는 과정입니다. 빈 곳에 알맞은 수를 써넣으세요.

① 12와 15의 최대공약수 : ______ ➡ 12 : 15 = 12 ÷ □ : 15 ÷ □ = □ : □

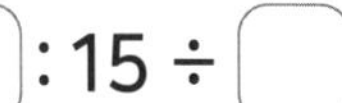

② 32와 24의 최대공약수 : ______ ➡ 32 : 24 = 32 ÷ □ : 24 ÷ □ = □ : □

③ 80과 48의 최대공약수 : ______ ➡ 80 : 48 = 80 ÷ □ : 48 ÷ □ = □ : □

④ 90과 36의 최대공약수 : ______ ➡ 90 : 36 = 90 ÷ □ : 36 ÷ □ = □ : □

⑤ 33과 44의 최대공약수 : ______ ➡ 33 : 44 = 33 ÷ □ : 44 ÷ □ = □ : □

⑥ 18과 81의 최대공약수 : ______ ➡ 18 : 81 = 18 ÷ □ : 81 ÷ □ = □ : □

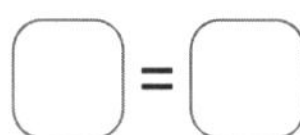

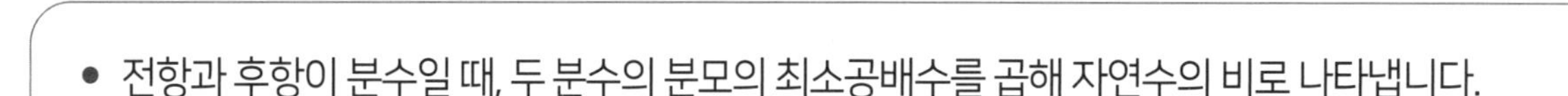

- 전항과 후항이 분수일 때, 두 분수의 분모의 최소공배수를 곱해 자연수의 비로 나타냅니다.

4와 5의 최소공배수 : 20 ➡ $\frac{1}{4} : \frac{3}{5} = (\frac{1}{4} \times 20) : (\frac{3}{5} \times 20) = 5 : 12$

자연수의 비로 나타내는 과정입니다. 빈 곳에 알맞은 수를 써넣으세요.

① 8과 6의 최소공배수 : ______ ➡ $\frac{5}{8} : \frac{7}{6} = (\frac{5}{8} \times \square) : (\frac{7}{6} \times \square) = \square : \square$

② 4와 5의 최소공배수 : ______ ➡ $\frac{3}{4} : \frac{4}{5} = (\frac{3}{4} \times \square) : (\frac{4}{5} \times \square) = \square : \square$

③ 6과 9의 최소공배수 : ______ ➡ $\frac{7}{6} : \frac{5}{9} = (\frac{7}{6} \times \square) : (\frac{5}{9} \times \square) = \square : \square$

④ 4와 6의 최소공배수 : ______ ➡ $\frac{3}{4} : \frac{5}{6} = (\frac{3}{4} \times \square) : (\frac{5}{6} \times \square) = \square : \square$

⑤ 11과 3의 최소공배수 : ______ ➡ $\frac{2}{11} : \frac{2}{3} = (\frac{2}{11} \times \square) : (\frac{2}{3} \times \square) = \square : \square$

⑥ 9와 15의 최소공배수 : ______ ➡ $\frac{5}{9} : \frac{2}{15} = (\frac{5}{9} \times \square) : (\frac{2}{15} \times \square) = \square : \square$

- 전항과 후항이 분수일 때, 두 분수의 분모의 최소공배수를 곱해서 자연수의 비로 나타내고, 다시 그 자연수의 비를 가장 간단한 자연수의 비로 나타낼 수 있습니다.

$$\frac{2}{3}:\frac{6}{5}=(\frac{2}{3}\times 15):(\frac{6}{5}\times 15)=10:18=(10\div 2):(18\div 2)=5:9 \Rightarrow \frac{2}{3}:\frac{6}{5}=5:9$$

즉, 전항과 후항의 두 분모의 최소공배수인 15를 곱하고, 전항과 후항의 두 분자의 최대공약수인 2로 나누어 가장 간단한 자연수의 비로 나타낼 수 있습니다. 다음과 같이 분수를 곱해 가장 간단한 자연수의 비로 바꿉니다.

$$\frac{2}{3}:\frac{6}{5}=(\frac{2}{3}\times\frac{15}{2}):(\frac{6}{5}\times\frac{15}{2})=5:9$$

가장 간단한 자연수의 비로 나타내세요.

① $\frac{7}{2}:\frac{35}{3}=(\frac{7}{2}\times\frac{\square}{\square}):(\frac{35}{3}\times\frac{\square}{\square})=\square:\square$

② $\frac{9}{6}:\frac{3}{9}=(\frac{9}{6}\times\frac{\square}{\square}):(\frac{3}{9}\times\frac{\square}{\square})=\square:\square$

③ $\frac{3}{8}:\frac{9}{10}=(\frac{3}{8}\times\frac{\square}{\square}):(\frac{9}{10}\times\frac{\square}{\square})=\square:\square$

④ $\frac{3}{2}:\frac{27}{10}=(\frac{3}{2}\times\frac{\square}{\square}):(\frac{27}{10}\times\frac{\square}{\square})=\square:\square$

다른 비로 나타내기

공부한 날 월 일

어떤 비의 전항과 후항을 표에 적었습니다. 비를 가장 간단한 자연수의 비로 나타내세요.

①

전항	후항
$\frac{7}{2}$	$\frac{21}{2}$

➡ ☐ : ☐

②

전항	후항
$\frac{3}{4}$	$\frac{1}{6}$

➡ ☐ : ☐

③

전항	후항
0.5	0.7

➡ ☐ : ☐

④

전항	후항
3.6	4.5

➡ ☐ : ☐

⑤

전항	후항
$3\frac{1}{3}$	$4\frac{1}{4}$

➡ ☐ : ☐

⑥

전항	후항
$\frac{3}{8}$	$\frac{2}{5}$

➡ ☐ : ☐

⑦

전항	후항
0.09	0.15

➡ ☐ : ☐

⑧

전항	후항
1.2	0.9

➡ ☐ : ☐

Tip
소수는 분모가 10, 100, 1000인 분수로 생각합니다. 대분수를 가분수로 고치면 더 편하게 계산할 수 있습니다.

비를 가장 간단한 자연수의 비로 나타내려고 합니다. 빈 곳에 알맞은 수를 써넣으세요.

① $2.3 : 4.7 = \square : \square$

② $4\frac{2}{5} : 3.3 = \square : \square$

③ $7.2 : 2.4 = \square : \square$

④ $\frac{2}{9} : \frac{5}{6} = \square : \square$

⑤ $6 : 1.2 = \square : \square$

⑥ $4.5 : 7.5 = \square : \square$

⑦ $\frac{17}{3} : \frac{2}{9} = \square : \square$

⑧ $8 : 3\frac{1}{3} = \square : \square$

⑨ $18 : 24 = \square : \square$

⑩ $\frac{5}{4} : \frac{4}{5} = \square : \square$

⑪ $2.7 : 0.36 = \square : \square$

⑫ $3\frac{1}{2} : 7.7 = \square : \square$

어떤 비의 전항을 책의 왼쪽에, 후항을 책의 오른쪽에 적었습니다. 가장 간단한 자연수의 비로 나타내세요.

① 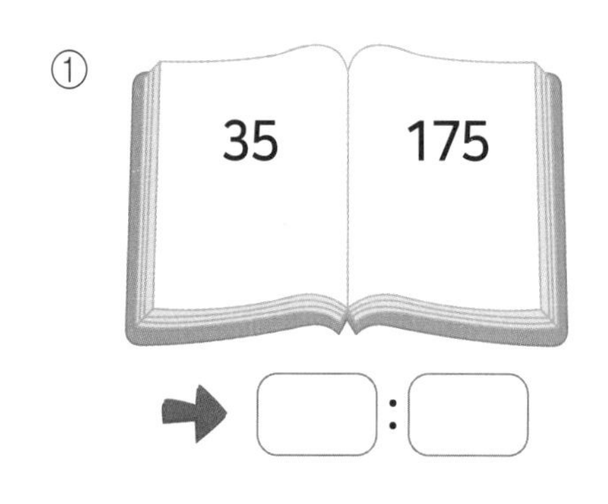

➡ ☐ : ☐

② 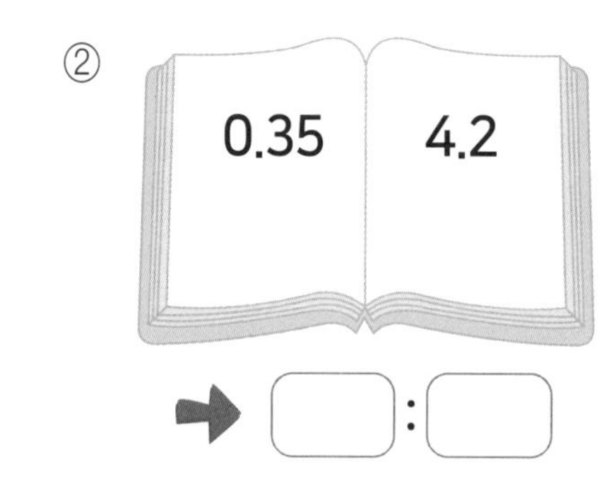

➡ ☐ : ☐

③ 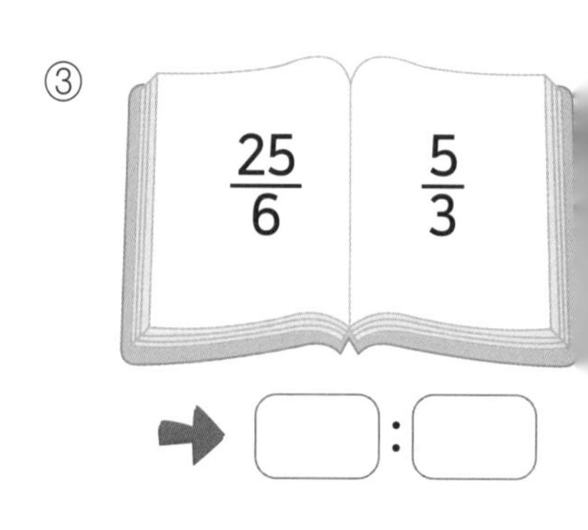

➡ ☐ : ☐

④ 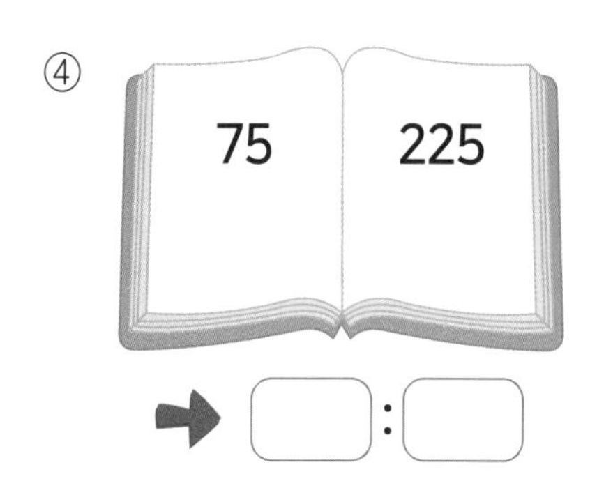

➡ ☐ : ☐

⑤ 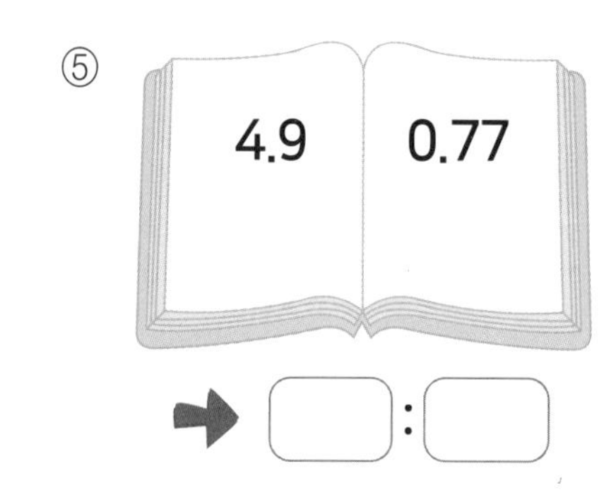

➡ ☐ : ☐

⑥ 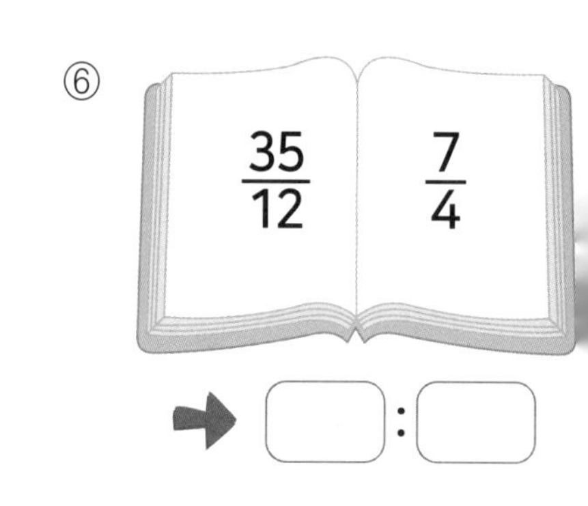

➡ ☐ : ☐

⑦ 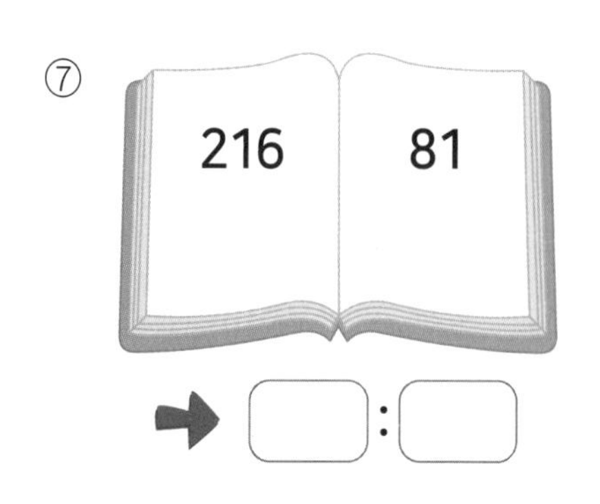

➡ ☐ : ☐

⑧ 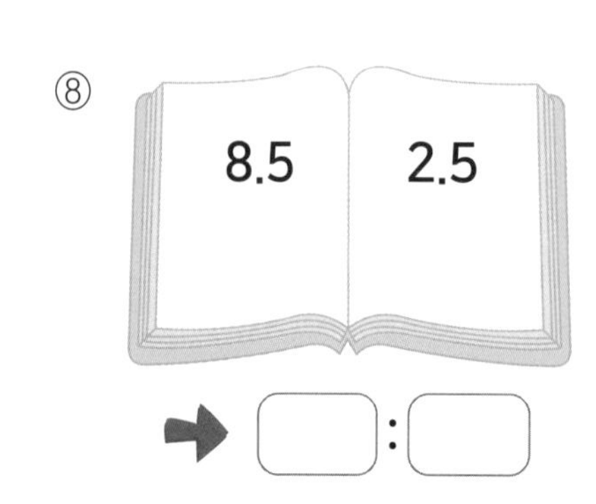

➡ ☐ : ☐

⑨ 

➡ ☐ : ☐

□ 구하기

- 비의 전항, 후항에 몇을 곱했는지 찾아 비례식에 있는 □ 안의 수를 구할 수 있습니다.

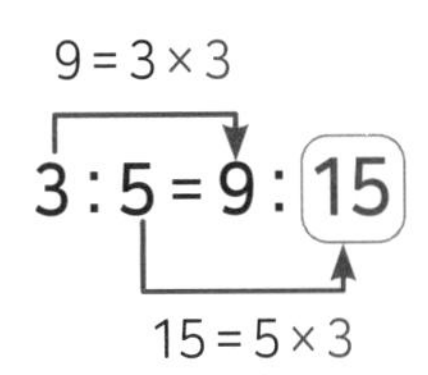

□에 알맞은 수를 써넣으세요.

① $32 : 28 = (8 \times 4) : (\square \times 4) = 8 : \square$

② $\frac{7}{3} : \frac{7}{9} = (21 \div 9) : (\square \div 9) = 21 : \square$

③ $16 : 24 = (4 \times 4) : (\square \times 4) = 4 : \square$

④ $7 : 3 = (49 \div 7) : (\square \div 7) = 49 : \square$

⑤ $25 : 30 = (5 \times 5) : (\square \times 5) = 5 : \square$

⑥ $\frac{5}{6} : \frac{10}{9} = (15 \div 18) : (\square \div 18) = 15 : \square$

Tip

6학년 3권 2주차의 비와 비율 부분에 더 상세한 설명이 나와있습니다. 전항을 비교하는 양으로, 후항을 기준량으로 생각해 참고하시면 됩니다.

빈 곳에 알맞은 수를 써넣으세요.

① $2:5=14:\_\_\_\_$

② $2.4:4=12:\_\_\_\_$

③ $2:8=\frac{2}{3}:\_\_\_\_$

④ $8:3.3=24:\_\_\_\_$

⑤ $\_\_\_\_:5=21:15$

⑥ $6:9=20:\_\_\_\_$

⑦ $\frac{8}{3}:8=\_\_\_\_:30$

⑧ $3.9:6=1.3:\_\_\_\_$

⑨ $\frac{20}{7}:18=\_\_\_\_:6$

⑩ $7:11=35:\_\_\_\_$

⑪ $\_\_\_\_:5.4=35:27$

⑫ $9:42=\_\_\_\_:14$

⑬ $\frac{21}{5}:28=\_\_\_\_:4$

⑭ $2.4:7.2=39:\_\_\_\_$

빈 곳에 알맞은 수를 써넣으세요.

① $5 : 12 = \square : 36$

② $12 : 42 = 6 : \square$

③ $42 : 60 = \square : 10$

④ $\square : 9 = 48 : 72$

⑤ $0.4 : \square = 56 : 42$

⑥ $28 : 70 = 4 : \square$

⑦ $78 : 39 = 26 : \square$

⑧ $6 : \square = 44 : 22$

⑨ $48 : 24 = 6 : \square$

⑩ $36 : 60 = 24 : \square$

⑪ $77 : 7 = 99 : \square$

⑫ $2.5 : 15 = 8 : \square$

연산 퍼즐

월 일

 ★이 나타내는 수가 더 큰 칸으로 이동하여 집으로 가는 길을 그리세요.

(출발)	8 : ★ = 16 : 20	9 : ★ = 5 : 25	★ : 5 = 21 : 3
★ : 9 = 4 : 3	36 : ★ = 6 : 3	144 : ★ = 90 : 10	3 : 23 = 9 : ★
8 : 17 = 16 : ★	★ : 5 = 33 : 15	★ : 9 = 8 : 18	1 : ★ = 3 : 9
36 : 8 = ★ : 4	★ : 7 = 6 : 21	★ : 40 = 24 : 120	★ : 7 = 16 : 14
3 : 24 = ★ : 8	25 : ★ = 30 : 36	★ : 18 = 3 : 2	5 : ★ = 22 : 44

□에 알맞은 수를 써넣으세요.

		9										
		:										
5	:	□	=	15	:	21				□		
		=				:				:		
		□	:	25	=	□	:	5		6		
		:				=				=		
		35				28				10		
						:				:		
						□	:	33	=	□	:	11
								:				
								24				
								=				
		18	:	□	=	30	:	□				
								:				
								40				

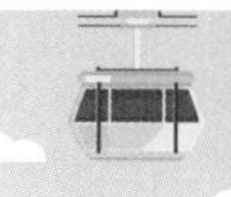

3장의 수 카드를 한 번씩만 사용하여 비례식을 완성하세요. 각각 두 가지 방법이 있어요.

① 5 9 15

➡ 3 : ☐ = ☐ : ☐

3 : ☐ = ☐ : ☐

② 4 7 21

➡ ☐ : 12 = ☐ : ☐

☐ : 12 = ☐ : ☐

③ 3 5 21

➡ ☐ : ☐ = ☐ : 35

☐ : ☐ = ☐ : 35

④ 7 9 28

➡ ☐ : ☐ = 36 : ☐

☐ : ☐ = 36 : ☐

⑤ 12 18 33

➡ 22 : ☐ = ☐ : ☐

22 : ☐ = ☐ : ☐

⑥ 8 16 34

➡ ☐ : 17 = ☐ : ☐

☐ : 17 = ☐ : ☐

2주차

비례식의 사용

비례식의 외항, 내항의 개념을 알고, 외항의 곱과 내항의 곱이 같게 되는 원리를 배웁니다. 이를 이용해서 2, 3일차에 비례식을 완성하는 연습을 합니다. 4일차에는 분수의 식을 비례식으로 바꾸어 분자 또는 분모를 모르는 분수를 구합니다.

비례식의 외항, 내항

월 일

- 비례식 2 : 3 = 4 : 6에서 바깥쪽에 있는 2와 6을 외항, 안쪽에 있는 3과 4를 내항이라고 합니다.

2 : 3과 4 : 6 둘 다 비율이 $\frac{2}{3}$로 같습니다.  외항 2 : 3 = 4 : 6 내항

- 비례식에 있는 수를 더 일반적인 표현으로 항이라고 합니다. 비 2 : 3에서는 2와 3이 항입니다.

설명을 보고 비례식을 완성하세요.

① 비율은 $\frac{3}{2}$, 외항은 6, 18

18 : ☐ = ☐ : ☐

② 비율은 $\frac{3}{5}$, 외항은 3, 15

3 : ☐ = ☐ : ☐

③ 내항은 5, 18, 비율은 $\frac{1}{6}$

☐ : 18 = ☐ : ☐

④ 내항은 9, 12, 비율은 $\frac{1}{3}$

☐ : ☐ = 9 : ☐

⑤ 내항은 7, 20, 비율은 $\frac{4}{7}$

☐ : ☐ = 20 : ☐

⑥ 비율은 $\frac{5}{4}$, 외항은 5, 24

☐ : ☐ = ☐ : 24

설명을 보고 비례식을 완성하세요.

① 비율은 $\frac{5}{6}$, 외항의 곱은 360

$\boxed{15} : \square = \square : 24$

$\square \times 24 = 360 \rightarrow \square = 15$

② 내항의 곱은 168, 비율은 $\frac{4}{7}$

$\square : 7 = \square : \square$

③ 비율은 $\frac{4}{5}$, 외항의 곱은 100

$4 : \square = \square : \square$

④ 내항의 곱은 84, 비율은 $\frac{7}{6}$

$\square : 6 = \square : \square$

⑤ 비율은 $\frac{8}{7}$, 외항의 곱은 280

$8 : \square = \square : \square$

⑥ 비율은 $\frac{1}{3}$, 외항의 곱은 27

$1 : \square = \square : \square$

⑦ 비율은 $\frac{3}{2}$, 외항의 곱은 30

$\square : \square = \square : 10$

⑧ 내항의 곱은 48, 비율은 2

$\square : \square = 16 : \square$

비례식의 내항의 곱, 외항의 곱을 각각 구하세요.

① 9 : 15 = 6 : 10

내항의 곱 : ______

외항의 곱 : ______

② 6 : 14 = 9 : 21

내항의 곱 : ______

외항의 곱 : ______

③ 7 : 10 = 35 : 50

내항의 곱 : ______

외항의 곱 : ______

④ 3 : 6 = 12 : 24

내항의 곱 : ______

외항의 곱 : ______

⑤ 8 : 6 = 24 : 18

내항의 곱 : ______

외항의 곱 : ______

⑥ 30 : 12 = 10 : 4

내항의 곱 : ______

외항의 곱 : ______

⑦ 16 : 10 = 8 : 5

내항의 곱 : ______

외항의 곱 : ______

⑧ 15 : 5 = 12 : 4

내항의 곱 : ______

외항의 곱 : ______

⑨ 42 : 12 = 7 : 2

내항의 곱 : ______

외항의 곱 : ______

⑩ 10 : 8 = 20 : 16

내항의 곱 : ______

외항의 곱 : ______

내항의 곱, 외항의 곱

공부한 날 월 일

- 비례식에서 두 비를 비율로 나타내면 두 비율의 크기는 같습니다.

외항 : 내항 = 내항 : 외항 → $\frac{\text{외항}}{\text{내항}} = \frac{\text{내항}}{\text{외항}}$

두 비율의 크기가 같기 때문에 한 비율을 다른 비율로 나눈 값은 1입니다. 크기가 1인 분수는 분자와 분모의 크기가 같기 때문에 내항의 곱과 외항의 곱은 같습니다.

$\frac{\text{외항}}{\text{내항}} \div \frac{\text{내항}}{\text{외항}} = 1$ → $\frac{\text{외항}}{\text{내항}} \times \frac{\text{외항}}{\text{내항}} = \frac{\text{외항} \times \text{외항}}{\text{내항} \times \text{내항}} = 1$ → 내항 × 내항 = 외항 × 외항

빈 곳에 알맞은 수나 식을 써넣으세요.

4 : 5 = 12 : 15

내항의 곱 : 5 × 12

외항의 곱 : 4 × □

5 × 12 = 4 × □ → □ = 60 ÷ 4 = 15

① 5 : 7 = □ : 28

내항의 곱 : ______

외항의 곱 : ______

② 5 : 3 = 150 : □

내항의 곱 : ______

외항의 곱 : ______

③ 4 : 7 = □ : 28

내항의 곱 : ______

외항의 곱 : ______

- 비례식에서 두 비를 비율로 나타내면 두 비율의 크기는 같습니다.

$$외항 : 내항 = 내항 : 외항 \Rightarrow \frac{외항}{내항} = \frac{내항}{외항}$$

- 두 비율을 분모가 같게 통분하면 분자끼리 비교하여 내항의 곱과 외항의 곱이 같다는 것을 알 수 있습니다.

$$\frac{외항 \times 외항}{내항 \times 외항} = \frac{내항 \times 내항}{외항 \times 내항} \Rightarrow 내항 \times 내항 = 외항 \times 외항$$

빈 곳에 알맞은 수나 식을 써넣으세요.

① $30 : 6 = 10 : \square$

내항의 곱 : ______

외항의 곱 : ______

② $1.5 : 0.9 = 20 : \square$

내항의 곱 : ______

외항의 곱 : ______

③ $5 : \square = \frac{1}{4} : \frac{4}{5}$

내항의 곱 : ______

외항의 곱 : ______

④ $16 : 0.4 = \square : 0.6$

내항의 곱 : ______

외항의 곱 : ______

⑤ $36 : 48 = \square : 4$

내항의 곱 : ______

외항의 곱 : ______

⑥ $3 : 450 = \square : 300$

내항의 곱 : ______

외항의 곱 : ______

□에 알맞은 수를 써넣으세요.

① $3.3 : 6.6 = 25 : \square$

② $\frac{7}{2} : \frac{14}{9} = \square : 4$

③ $4 : 8 = 50 : \square$

④ $\frac{9}{4} : \frac{3}{5} = \square : 4$

⑤ $6 : 30 = 4 : \square$

⑥ $\frac{7}{5} : \frac{2}{3} = \square : 10$

⑦ $10 : 2.5 = 40 : \square$

⑧ $\frac{8}{9} : 6 = \square : 27$

⑨ $4.8 : 6 = \square : 15$

⑩ $3 : \frac{11}{5} = 15 : \square$

⑪ $\square : 0.25 = 16 : 2$

⑫ $\frac{5}{4} : 4 = \square : 16$

크기가 같은 세 비율

공부한 날 월 일

- 나타내는 비율의 크기가 같은 비가 있다면 비례식을 만든 다음 외항의 곱, 내항의 곱으로 모르는 수를 구할 수 있습니다.

3 : 5와 12 : □가 나타내는 비율의 크기가 같습니다.
➡ 3 : 5 = 12 : □
➡ 60 = (내항의 곱) = (외항의 곱) = 3 × □
➡ □ = 60 ÷ 3 = 20

세 비가 나타내는 비율의 크기가 서로 같습니다. □에 알맞은 수를 써넣으세요.

24 : 36
8 : [12]
[6] : 9

24 : 36 = 8 : □
→ □ × 24 = 36 × 8

24 : 36 = □ : 9
→ □ × 36 = 24 × 9

①
2 : □
4 : 6
□ : 15

②
4 : 5
8 : □
□ : 20

③
24 : □
□ : 33
6 : 11

④
3 : 10
□ : 30
15 : □

⑤
32 : □
8 : 13
□ : 26

□에 알맞은 수를 써넣으세요.

① $4 : 9 = \square : 36 = 20 : \square$

② $2 : 7 = \square : 21 = 12 : \square$

③ $20 : \square = 5 : 12 = \square : 36$

④ $8 : 9 = \square : 45 = 16 : \square$

⑤ $36 : \square = \square : 14 = 12 : 7$

⑥ $5 : 6 = 35 : \square = \square : 24$

⑦ $8 : 9 = 24 : \square = \square : 63$

⑧ $3 : 11 = \square : 55 = 18 : \square$

⑨ $\square : 15 = 20 : 25 = 28 : \square$

⑩ $3 : 9 = \square : 72 = 5 : \square$

문제를 읽고 답을 구하세요.

① ★ : 4 = 15 : ◇ = 5 : 2

★ = ______ ◇ = ______

② ★ : 3 = 10 : ◇ = 30 : 6

★ = ______ ◇ = ______

③ 24 : 36 = 8 : ◇ = ★ : 9

★ = ______ ◇ = ______

④ 10 : ◇ = 40 : 16 = ★ : 2

★ = ______ ◇ = ______

⑤ 25 : 15 = 5 : ◇ = ★ : 6

★ = ______ ◇ = ______

⑥ 9 : 24 = ◇ : 72 = 3 : ★

★ = ______ ◇ = ______

⑦ 56 : 28 = ◇ : 6 = 28 : ★

★ = ______ ◇ = ______

⑧ 72 : 120 = ◇ : 10 = 12 : ★

★ = ______ ◇ = ______

□가 있는 분수

공부한 날 월 일

- 분자가 □인 분수의 식은, 두 분수의 분모를 곱해 더 간단한 식으로 바꿀 수 있습니다.

$$\frac{\square}{4} = \frac{21}{6} \Rightarrow \frac{\square}{4} \times 4 \times 6 = \frac{21}{6} \times 4 \times 6 \Rightarrow \square \times 6 = 21 \times 4$$

- 분모가 □인 분수의 식도 비슷한 방법으로 간단하게 만들 수 있습니다. 두 분수의 분모를 곱해 더 간단한 식으로 바꿀 수 있습니다.

$$\frac{16}{\square} = \frac{8}{5} \Rightarrow \frac{16}{\square} \times \square \times 5 = \frac{8}{5} \times \square \times 5 \Rightarrow 16 \times 5 = 8 \times \square$$

문제를 읽고 답을 구하세요.

① $\frac{40}{45} = \frac{24}{★}$

➡ ★ = ______

② $\frac{25}{35} = \frac{15}{★}$

➡ ★ = ______

③ $\frac{30}{35} = \frac{12}{★}$

➡ ★ = ______

④ $\frac{42}{49} = \frac{24}{★}$

➡ ★ = ______

Tip

기약분수가 아닌 분수가 있다면 기약분수로 고치고 계산하는 것이 더 편리합니다. 분수의 식을 비례식으로 해석해서 해결하는 것이 4일차의 학습 목적이지만 이 페이지의 풀이 방법도 다른 풀이 방법으로 소개합니다.

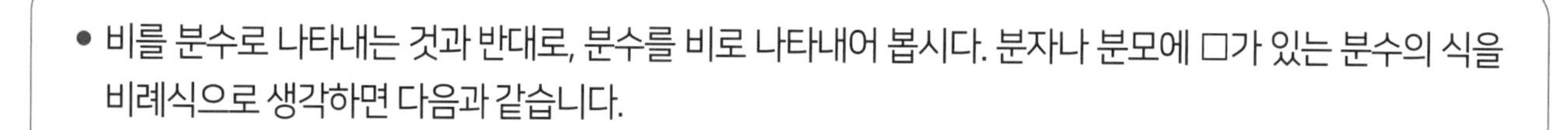

- 비를 분수로 나타내는 것과 반대로, 분수를 비로 나타내어 봅시다. 분자나 분모에 □가 있는 분수의 식을 비례식으로 생각하면 다음과 같습니다.

$\frac{\square}{4} = \frac{21}{6}$ ➡ □ : 4 = 21 : 6 ➡ 4 × 21 = (내항의 곱) = (외항의 곱) = □ × 6 ➡ □ = 84 ÷ 6 = 14

- 따라서 '='의 왼쪽 분수의 분모와 오른쪽 분수의 분자의 곱은 '='의 오른쪽 분수의 분모와 왼쪽 분수의 분자의 곱과 같다는 것을 알 수 있습니다.

$\frac{\square}{4} = \frac{21}{6}$ ➡ 4 × 21 = □ × 6

문제를 읽고 답을 구하세요.

① $\frac{10}{15} = \frac{8}{★}$

➡ ★ = ______

② $\frac{18}{30} = \frac{15}{★}$

➡ ★ = ______

③ $\frac{30}{9} = \frac{★}{12}$

➡ ★ = ______

④ $\frac{21}{9} = \frac{★}{6}$

➡ ★ = ______

문제를 읽고 답을 구하세요.

① $\frac{18}{8}=\frac{27}{★}$

★ = ______

② $\frac{32}{14}=\frac{16}{★}=\frac{□}{21}$

★ = ______ □ = ______

③ $\frac{20}{8}=\frac{50}{★}$

★ = ______

④ $\frac{8}{20}=\frac{16}{★}=\frac{□}{60}$

★ = ______ □ = ______

⑤ $\frac{2}{3}=\frac{6}{★}$

★ = ______

⑥ $\frac{5}{12}=\frac{20}{★}=\frac{□}{60}$

★ = ______ □ = ______

⑦ $\frac{40}{45}=\frac{24}{★}$

★ = ______

⑧ $\frac{27}{18}=\frac{6}{★}=\frac{□}{14}$

★ = ______ □ = ______

문장제

문제를 읽고 답을 구하세요.

① 세호는 그림을 그릴 때 실제 길이가 80 cm인 것을 5 cm로 나타냅니다. 세호가 그림에서 8 cm로 그린 것의 실제 길이는 몇 cm인가요?

답: ________ cm

② 동화책의 가로와 세로의 길이의 비는 5 : 7입니다. 가로의 길이가 20 cm일 때, 세로의 길이는 몇 cm인가요?

답: ________ cm

③ 화단에 있는 노란색 장미와 빨간색 장미의 수의 비는 3 : 5입니다. 노란색 장미가 90송이 있다면 빨간색 장미는 몇 송이 있나요?

답: ________ 송이

④ 가람이와 나영이의 몸무게의 비는 11 : 8입니다. 나영이의 몸무게가 40 kg이라면 가람이의 몸무게는 몇 kg인가요?

답: ________ kg

⑤ 필통에 들어 있는 연필과 볼펜의 수의 비는 4 : 3입니다. 연필이 24자루 있다면 볼펜은 몇 자루 있나요?

답: ________ 자루

문제를 읽고 답을 구하세요.

① 6시간 동안 9분 느려지는 시계가 있습니다. 시계를 정확히 맞추고 16시간이 지난 후에 시계가 가리키는 시각은 정확한 시각보다 몇 분 느린가요?

답: ________ 분

② 준수가 일정한 빠르기로 24분 동안 1.4 km를 걸었습니다. 같은 빠르기로 1시간 12분 동안 걸으면 몇 km를 걷나요?

답: ________ km

③ 바닷물 600 L를 증발시키면 소금 8 kg을 얻을 수 있습니다. 소금 14 kg을 얻으려면 바닷물을 몇 L 증발시켜야 되나요?

답: ________ L

④ 가로와 세로의 길이의 비가 3 : 2인 직사각형 모양으로 액자를 만들려고 합니다. 세로의 길이를 16 cm로 한다면 가로의 길이는 몇 cm로 해야 되나요?

답: ________ cm

⑤ 5분 동안 물 45 L가 나오는 수도로 들이가 360 L인 욕조를 가득 채우려면 몇 분 걸리나요?

답: ________ 분

문제를 읽고 답을 구하세요.

① 고구마 5 kg의 가격은 17000원입니다. 고구마 9 kg의 가격은 얼마인가요?

답: ________ 원

② 세호와 민호의 키의 비는 8 : 9입니다. 세호의 키가 144 cm라면 민호의 키는 몇 cm인가요?

답: ________ cm

③ 휘발유 2 L로 18 km를 가는 자동차가 있습니다. 이 자동차로 27 km를 가려면 휘발유 몇 L가 필요한가요?

답: ________ L

④ 볼펜 16자루를 2800원에 팔고 있습니다. 같은 가격으로 볼펜 40자루를 사려면 얼마가 필요한가요?

답: ________ 원

⑤ 포도 원액과 물을 5 : 3의 비로 섞어 포도 주스를 만들려고 합니다. 포도 원액을 300 mL 넣었다면 물은 몇 mL를 넣어야 되나요?

답: ________ mL

3주차

도전! 계산왕

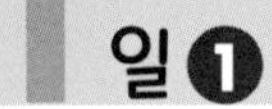

비례식 완성하기

공부한 날	월 일
점수	/12

빈 곳에 알맞은 수를 써넣으세요.

① $2:6=8:\_\_\_\_$

② $3:\_\_\_\_=15:40$

③ $7:9=\_\_\_\_:36$

④ $8:\frac{1}{2}=32:\_\_\_\_$

⑤ $5:8=4.5:\_\_\_\_$

⑥ $\frac{13}{3}:7=\_\_\_\_:21$

⑦ $\_\_\_\_:5=20:25=\_\_\_\_:15$

⑧ $9:27=\_\_\_\_:15=4:\_\_\_\_$

⑨ $9:7=63:\_\_\_\_=\_\_\_\_:28$

⑩ $\_\_\_\_:5=16:\_\_\_\_=24:15$

⑪ $2:1.5=12:\_\_\_\_=\_\_\_\_:6$

⑫ $2:\_\_\_\_=\frac{2}{5}:1=\_\_\_\_:25$

비례식 완성하기

공부한 날 월 일
점수 /12

빈 곳에 알맞은 수를 써넣으세요.

① $8:11=24:\underline{\qquad}$

② $18:24=3:\underline{\qquad}$

③ $49:\underline{\qquad}=7:6$

④ $4:\underline{\qquad}=5:2.5$

⑤ $\underline{\qquad}:\frac{1}{7}=42:54$

⑥ $\underline{\qquad}:1.2=4:3$

⑦ $63:\underline{\qquad}=9:8=\underline{\qquad}:16$

⑧ $7:35=\underline{\qquad}:40=9:\underline{\qquad}$

⑨ $45:18=25:\underline{\qquad}=\underline{\qquad}:100$

⑩ $\underline{\qquad}:25=48:\underline{\qquad}=6:5$

⑪ $5:2.5=4:\underline{\qquad}=\underline{\qquad}:26$

⑫ $8:\underline{\qquad}=48:30=\underline{\qquad}:\frac{1}{8}$

비례식 완성하기

공부한 날 월 일
점수 /12

빈 곳에 알맞은 수를 써넣으세요.

① $5:4=8:\underline{\quad}$

② $9:\underline{\quad}=36:48$

③ $4:8=\underline{\quad}:40$

④ $3:4=1.2:\underline{\quad}$

⑤ $10:\frac{4}{5}=4:\underline{\quad}$

⑥ $3.2:4=6:\underline{\quad}$

⑦ $\underline{\quad}:92=25:23=\underline{\quad}:46$

⑧ $81:45=\underline{\quad}:25=9:\underline{\quad}$

⑨ $24:30=12:\underline{\quad}=\underline{\quad}:42$

⑩ $\underline{\quad}:4=7:\underline{\quad}=9:18$

⑪ $24:10=36:\underline{\quad}=\underline{\quad}:\frac{5}{8}$

⑫ $24:\underline{\quad}=8:13=\underline{\quad}:6.5$

비례식 완성하기

공부한 날	월 일
점수	/12

빈 곳에 알맞은 수를 써넣으세요.

① $75:60=5:\_\_\_\_$

② $7:3=63:\_\_\_\_$

③ $50:\_\_\_\_=25:81$

④ $\frac{1}{4}:\frac{4}{5}=10:\_\_\_\_$

⑤ $2.8:\_\_\_\_=2.1:4.5$

⑥ $\_\_\_\_:3\frac{3}{5}=5:9$

⑦ $100:\_\_\_\_=75:6=\_\_\_\_:4$

⑧ $9:27=\_\_\_\_:15=8:\_\_\_\_$

⑨ $16:45=256:\_\_\_\_=\_\_\_\_:135$

⑩ $\_\_\_\_:25=48:\_\_\_\_=6:5$

⑪ $42:40=8.4:\_\_\_\_=\_\_\_\_:60$

⑫ $21:\_\_\_\_=\frac{7}{3}:2=\_\_\_\_:6$

비례식 완성하기

공부한 날 월 일
점수 /12

빈 곳에 알맞은 수를 써넣으세요.

① $4:7=16:\_\_\_\_$

② $3:\_\_\_\_=9:24$

③ $6:5=\_\_\_\_:15$

④ $2.7:3.6=9:\_\_\_\_$

⑤ $5:\frac{5}{6}=\frac{1}{2}:\_\_\_\_$

⑥ $11.5:4=2.3:\_\_\_\_$

⑦ $\_\_\_\_:147=3:21=5:\_\_\_\_$

⑧ $36:42=\_\_\_\_:35=6:\_\_\_\_$

⑨ $3:8=18:\_\_\_\_=\_\_\_\_:24$

⑩ $\_\_\_\_:5=36:\_\_\_\_=16:4$

⑪ $\frac{6}{5}:8=\frac{9}{2}:\_\_\_\_=\_\_\_\_:60$

⑫ $9.5:\_\_\_\_=1.25:4=\_\_\_\_:200$

비례식 완성하기

공부한 날	월 일
점수	/12

빈 곳에 알맞은 수를 써넣으세요.

① $40 : 10 = 28 : \_\_\_\_$

② $120 : 54 = 20 : \_\_\_\_$

③ $144 : \_\_\_\_ = 2 : 5$

④ $2 : \frac{4}{5} = 5 : \_\_\_\_$

⑤ $50 : \_\_\_\_ = 2.5 : 2$

⑥ $\_\_\_\_ : 12 = \frac{5}{6} : \frac{2}{7}$

⑦ $20 : \_\_\_\_ = 120 : 54 = \_\_\_\_ : 18$

⑧ $45 : 180 = \_\_\_\_ : 100 = 17 : \_\_\_\_$

⑨ $2.4 : 0.8 = 90 : \_\_\_\_ = \_\_\_\_ : 14$

⑩ $\_\_\_\_ : \frac{7}{9} = 60 : \_\_\_\_ = 18 : 21$

⑪ $2.1 : 0.7 = 30 : \_\_\_\_ = \_\_\_\_ : 19$

⑫ $8 : \_\_\_\_ = \frac{16}{3} : 4 = \_\_\_\_ : 12$

비례식 완성하기

공부한 날	월 일
점수	/12

빈 곳에 알맞은 수를 써넣으세요.

① $8:5=64:\_\_\_\_$

② $44:\_\_\_\_=11:12$

③ $2:3=\_\_\_\_:24$

④ $4:3=6.4:\_\_\_\_$

⑤ $10:14=1\frac{1}{4}:\_\_\_\_$

⑥ $1.5:2.2=30:\_\_\_\_$

⑦ $\_\_\_\_:105=9:7=36:\_\_\_\_$

⑧ $4:6=\_\_\_\_:27=12:\_\_\_\_$

⑨ $9:11=18:\_\_\_\_=\_\_\_\_:132$

⑩ $\_\_\_\_:2=63:\_\_\_\_=45:10$

⑪ $\frac{5}{4}:15=\frac{1}{6}:\_\_\_\_=\_\_\_\_:72$

⑫ $42:\_\_\_\_=2.8:2=\_\_\_\_:10$

비례식 완성하기

공부한 날	월 일
점수	/12

빈 곳에 알맞은 수를 써넣으세요.

① $84 : 63 = 4 : \_\_\_\_$

② $77 : 121 = 7 : \_\_\_\_$

③ $15 : \_\_\_\_ = 225 : 60$

④ $\frac{1}{5} : \frac{3}{4} = \frac{8}{5} : \_\_\_\_$

⑤ $5.2 : \_\_\_\_ = 4 : 5$

⑥ $\_\_\_\_ : 1\frac{1}{2} = 12 : 3$

⑦ $44 : \_\_\_\_ = 22 : 33 = \_\_\_\_ : 99$

⑧ $35 : 175 = \_\_\_\_ : 75 = 32 : \_\_\_\_$

⑨ $4 : 9 = 300 : \_\_\_\_ = \_\_\_\_ : 45$

⑩ $\_\_\_\_ : 80 = 96 : \_\_\_\_ = 15 : 20$

⑪ $0.6 : 2.1 = 12 : \_\_\_\_ = \_\_\_\_ : 7$

⑫ $16 : \_\_\_\_ = \frac{8}{5} : 4 = \_\_\_\_ : 50$

비례식 완성하기

공부한 날 월 일
점수 /12

빈 곳에 알맞은 수를 써넣으세요.

① $6:8=9:$ _____

② $30:$ _____ $=5:16$

③ $7:3=$ _____ $:12$

④ $2.4:3.2=3:$ _____

⑤ $15:9=\frac{2}{3}:$ _____

⑥ $4:3.2=5:$ _____

⑦ _____ $:4=30:12=25:$ _____

⑧ $16:24=$ _____ $:9=4:$ _____

⑨ $15:6=40:$ _____ $=$ _____ $:20$

⑩ _____ $:39=20:$ _____ $=100:65$

⑪ $\frac{5}{3}:5=\frac{1}{3}:$ _____ $=$ _____ $:40$

⑫ $18:$ _____ $=2.7:5.1=$ _____ $:17$

비례식 완성하기

공부한 날 월 일
점수 /12

빈 곳에 알맞은 수를 써넣으세요.

① $3:11=9:\underline{\quad}$

② $11:88=20:\underline{\quad}$

③ $30:\underline{\quad}=135:27$

④ $\frac{3}{7}:9=3:\underline{\quad}$

⑤ $4.8:\underline{\quad}=16:20$

⑥ $\underline{\quad}:3\frac{1}{3}=18:30$

⑦ $5:\underline{\quad}=23:138=\underline{\quad}:42$

⑧ $25:35=\underline{\quad}:14=40:\underline{\quad}$

⑨ $13:104=5:\underline{\quad}=\underline{\quad}:48$

⑩ $\underline{\quad}:120=158:\underline{\quad}=79:30$

⑪ $0.3:6.3=5:\underline{\quad}=\underline{\quad}:84$

⑫ $4:\underline{\quad}=5\frac{3}{5}:28=\underline{\quad}:30$

MEMO

4주차

연비

세 개 이상의 양을 비교하는 연비를 배웁니다. 1일차부터 3일차까지는 두 수의 비와 연비를 비교하고, 비를 비율로 바꾸거나 기준이 되는 양을 맞추어 연비를 만드는 원리를 배웁니다. 4, 5일차에는 원리를 바탕으로 연비를 만드는 연습을 합니다.

연비

- 셋 이상의 양의 비를 한 번에 나타낸 것을 연비라고 합니다. 예를 들어 사탕이 3개, 과자가 2개, 젤리가 5개 있을 때 세 간식의 개수를 연비로 나타내면 (사탕) : (과자) : (젤리) = 3 : 2 : 5가 됩니다.

- 연비를 보고 두 수의 비를 알 수 있습니다. (사탕) : (과자) : (젤리) = 3 : 2 : 5라면 사탕과 과자의 비는 3 : 2이고, 과자와 젤리의 비는 2 : 5입니다.

□에 알맞은 수를 써넣으세요.

① ㉠ : ㉡ : ㉢ = 7 : 5 : 3
➡ ㉠ : ㉡ = 7 : □
㉡ : ㉢ = 5 : □

② ㉠ : ㉡ : ㉢ = 4 : 6 : 7
➡ ㉠ : ㉢ = 4 : □
㉡ : ㉢ = 6 : □

③ ㉠ : ㉡ : ㉢ = 3 : 4 : 2
➡ ㉠ : ㉡ = 3 : □
㉡ : ㉢ = 4 : □

④ ㉠ : ㉡ : ㉢ = 10 : 8 : 7
➡ ㉠ : ㉡ = 10 : □
㉠ : ㉢ = □ : 7

⑤ ㉠ : ㉡ : ㉢ = 11 : 6 : 7
➡ ㉠ : ㉡ = □ : 6
㉡ : ㉢ = 6 : □

⑥ ㉠ : ㉡ : ㉢ = 5 : 6 : 5
➡ ㉠ : ㉢ = 5 : □
㉡ : ㉢ = 6 : □

Tip
두 수의 비와 마찬가지로 연비에서도 비에 나오는 각 수를 항이라고 합니다. 2 : 3 : 5에서 2, 3, 5가 연비의 항입니다.

□에 알맞은 수를 써넣으세요.

㉠ : ㉡ : ㉢ = 8 : 2 : 3, ㉠ = 16
➡ ㉡ = 4, ㉢ = 6

㉠ : ㉡ = 8 : 2 → ㉡ × 8 = 16 × 2 → ㉡ = 4
㉠ : ㉢ = 8 : 3 → ㉢ × 8 = 16 × 3 → ㉢ = 6

① ㉠ : ㉡ : ㉢ = 3 : 4 : 5, ㉠ = 9
➡ ㉡ = □, ㉢ = □

② ㉠ : ㉡ : ㉢ = 1 : 3 : 5, ㉢ = 20
➡ ㉠ = □, ㉡ = □

③ ㉠ : ㉡ : ㉢ = 3 : 9 : 10, ㉡ = 18
➡ ㉠ = □, ㉢ = □

④ ㉠ : ㉡ : ㉢ = 4 : 9 : 3, ㉠ = 16
➡ ㉡ = □, ㉢ = □

⑤ ㉠ : ㉡ : ㉢ = 9 : 1 : 5, ㉢ = 45
➡ ㉠ = □, ㉡ = □

⑥ ㉠ : ㉡ : ㉢ = 3 : 10 : 11, ㉢ = 44
➡ ㉠ = □, ㉡ = □

⑦ ㉠ : ㉡ : ㉢ = 9 : 7 : 3, ㉢ = 24
➡ ㉠ = □, ㉡ = □

⑧ ㉠ : ㉡ : ㉢ = 1 : 7 : 1, ㉡ = 28
➡ ㉠ = □, ㉢ = □

⑨ ㉠ : ㉡ : ㉢ = 8 : 2 : 9, ㉠ = 40
➡ ㉡ = □, ㉢ = □

□에 알맞은 수를 써넣으세요.

① ㉠ : ㉡ : ㉢ = 1 : 3 : 7

➡ ㉠ : ㉡ = 1 : □

㉡ : ㉢ = □ : 7

② ㉠ : ㉡ : ㉢ = 8 : 10 : 13

➡ ㉠ : ㉢ = 8 : □

㉡ : ㉢ = 10 : □

③ ㉠ : ㉡ : ㉢ = 3 : 9 : 7

➡ ㉠ : ㉡ = 3 : □

㉡ : ㉢ = 9 : □

④ ㉠ : ㉡ : ㉢ = 5 : 7 : 6

➡ ㉠ : ㉡ = 5 : □

㉠ : ㉢ = □ : 6

⑤ ㉠ : ㉡ : ㉢ = 10 : 11 : 2, ㉠ = 40

➡ ㉡ = □, ㉢ = □

⑥ ㉠ : ㉡ : ㉢ = 1 : 7 : 4, ㉢ = 28

➡ ㉠ = □, ㉡ = □

⑦ ㉠ : ㉡ : ㉢ = 4 : 9 : 20, ㉢ = 180

➡ ㉠ = □, ㉡ = □

⑧ ㉠ : ㉡ : ㉢ = 1 : 11 : 13, ㉢ = 52

➡ ㉠ = □, ㉡ = □

⑨ ㉠ : ㉡ : ㉢ = 8 : 3 : 4, ㉡ = 24

➡ ㉠ = □, ㉢ = □

⑩ ㉠ : ㉡ : ㉢ = 5 : 4 : 7, ㉠ = 60

➡ ㉡ = □, ㉢ = □

비율로 만들어 비교하기

월 일

- 두 개의 비를 분수 형태의 비율로 바꾼 다음, 분수의 곱셈을 이용해서 다른 비가 나타내는 비율을 구하고, 그 비도 구할 수 있습니다.

㉠:㉡ = 5:6 → $\frac{㉠}{㉡} = \frac{5}{6}$ ㉡:㉢ = 3:4 → $\frac{㉡}{㉢} = \frac{3}{4}$

➡ $\frac{㉠}{㉢} = \frac{㉠}{㉡} \times \frac{㉡}{㉢} = \frac{5}{6} \times \frac{3}{4} = \frac{5}{8}$

➡ ㉠:㉢ = 5:8

㉠:㉢ = 5:8 → $\frac{㉠}{㉢} = \frac{5}{8}$ ㉡:㉢ = 3:4 → ㉢:㉡ = 4:3 → $\frac{㉢}{㉡} = \frac{4}{3}$

➡ $\frac{㉠}{㉡} = \frac{㉠}{㉢} \times \frac{㉢}{㉡} = \frac{5}{8} \times \frac{4}{3} = \frac{5}{6}$

➡ ㉠:㉡ = 5:6

문제를 읽고 답을 구하세요.

① ㉠:㉡ = 4:3, ㉡:㉢ = 9:5

➡ $\frac{㉠}{㉢} = \frac{㉠}{㉡} \times \frac{㉡}{㉢} = \frac{\square}{\square} \times \frac{\square}{\square} = \frac{\square}{\square}$

➡ ㉠:㉢ = ____ : ____

② ㉠:㉡ = 7:9, ㉡:㉢ = 27:14

➡ $\frac{㉠}{㉢} = \frac{㉠}{㉡} \times \frac{㉡}{㉢} = \frac{\square}{\square} \times \frac{\square}{\square} = \frac{\square}{\square}$

➡ ㉠:㉢ = ____ : ____

③ ㉠:㉢ = 8:7, ㉡:㉢ = 5:7

➡ $\frac{㉠}{㉡} = \frac{㉠}{㉢} \times \frac{㉢}{㉡} = \frac{\square}{\square} \times \frac{\square}{\square} = \frac{\square}{\square}$

➡ ㉠:㉡ = ____ : ____

④ ㉠:㉡ = 9:5, ㉠:㉢ = 7:15

➡ $\frac{㉡}{㉢} = \frac{㉠}{㉢} \times \frac{㉡}{㉠} = \frac{\square}{\square} \times \frac{\square}{\square} = \frac{\square}{\square}$

➡ ㉡:㉢ = ____ : ____

문제를 읽고 답을 구하세요.

① ㉠ : ㉡ = 8 : 5, ㉠ : ㉢ = 4 : 3

➡ $\frac{㉡}{㉢} = \frac{\square}{\square} \times \frac{\square}{\square} = \frac{\square}{\square}$

➡ ㉡ : ㉢ = ____ : ____

② ㉠ : ㉢ = 6 : 5, ㉡ : ㉢ = 7 : 10

➡ $\frac{㉠}{㉡} = \frac{\square}{\square} \times \frac{\square}{\square} = \frac{\square}{\square}$

➡ ㉠ : ㉡ = ____ : ____

③ ㉠ : ㉡ = 3 : 8, ㉡ : ㉢ = 4 : 3

➡ $\frac{㉠}{㉢} = \frac{\square}{\square} \times \frac{\square}{\square} = \frac{\square}{\square}$

➡ ㉠ : ㉢ = ____ : ____

④ ㉠ : ㉡ = 15 : 7, ㉠ : ㉢ = 5 : 3

➡ $\frac{㉡}{㉢} = \frac{\square}{\square} \times \frac{\square}{\square} = \frac{\square}{\square}$

➡ ㉡ : ㉢ = ____ : ____

⑤ ㉠ : ㉢ = 10 : 7, ㉡ : ㉢ = 5 : 21

➡ $\frac{㉠}{㉡} = \frac{\square}{\square} \times \frac{\square}{\square} = \frac{\square}{\square}$

➡ ㉠ : ㉡ = ____ : ____

⑥ ㉠ : ㉡ = 12 : 5, ㉡ : ㉢ = 20 : 9

➡ $\frac{㉠}{㉢} = \frac{\square}{\square} \times \frac{\square}{\square} = \frac{\square}{\square}$

➡ ㉠ : ㉢ = ____ : ____

Tip
주어진 비를 바로 비율로 나타낼지, 전항과 후항의 위치를 바꾼 다음 비율로 나타낼지 먼저 생각합니다.

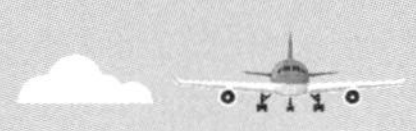

문제를 읽고 답을 구하세요.

① ㉡ : ㉢ = 8 : 10 , ㉠ : ㉢ = 4 : 15

➡ ㉠ : ㉡ = ____ : ____

② ㉠ : ㉡ = 5 : 12 , ㉡ : ㉢ = 6 : 5

➡ ㉠ : ㉢ = ____ : ____

③ ㉠ : ㉡ = 18 : 5 , ㉠ : ㉢ = 9 : 10

➡ ㉡ : ㉢ = ____ : ____

④ ㉡ : ㉢ = 5 : 21 , ㉠ : ㉢ = 6 : 7

➡ ㉠ : ㉡ = ____ : ____

⑤ ㉡ : ㉢ = 2 : 15 , ㉠ : ㉢ = 4 : 3

➡ ㉠ : ㉡ = ____ : ____

⑥ ㉠ : ㉡ = 21 : 4 , ㉠ : ㉢ = 7 : 2

➡ ㉡ : ㉢ = ____ : ____

기준이 되는 양을 맞추어 비교하기

월 일

- ㉠ : ㉡과 ㉡ : ㉢이 주어졌을 때, 두 비에 공통으로 나오는 ㉡의 수를 같게 맞추어 ㉠과 ㉢을 구할 수 있습니다.

㉡은 두 비에서 각각 3, 5로 나타나므로 ㉡을 3과 5의 공통된 배수, 즉 3과 5의 최소공배수로 만들어줍니다.

㉠ : ㉡ = 4 : 3, ㉡ : ㉢ = 5 : 7

㉠	:	㉡	:	㉢
4	:	3		
		5	:	7
4×5	:	3×5	:	7×3
20	:	15	:	21

㉠ : ㉡ : ㉢ = 20 : 15 : 21

㉠, ㉡, ㉢의 비를 구하세요.

① ㉠ : ㉡ = 3 : 5 , ㉡ : ㉢ = 5 : 8

㉠	:	㉡	:	㉢
	:			
			:	
	:		:	

㉠ : ㉡ : ㉢ = ____ : ____ : ____

② ㉠ : ㉡ = 18 : 5 , ㉠ : ㉢ = 12 : 7

㉠	:	㉡	:	㉢
	:			
	:			
	:		:	

㉠ : ㉡ : ㉢ = ____ : ____ : ____

③ ㉠ : ㉢ = 3 : 10 , ㉡ : ㉢ = 4 : 5

㉠	:	㉡	:	㉢
	:			
			:	
	:		:	

㉠ : ㉡ : ㉢ = ____ : ____ : ____

④ ㉡ : ㉢ = 5 : 12 , ㉠ : ㉢ = 7 : 24

㉠	:	㉡	:	㉢
			:	
	:			
	:		:	

㉠ : ㉡ : ㉢ = ____ : ____ : ____

㉠, ㉡, ㉢의 비를 구하세요.

① ㉠ : ㉡ = 3 : 7 , ㉠ : ㉢ = 7 : 2

㉠	:	㉡	:	㉢
	:			
	:			
	:		:	

㉠ : ㉡ : ㉢ = ____ : ____ : ____

② ㉠ : ㉡ = 12 : 7 , ㉠ : ㉢ = 6 : 5

㉠	:	㉡	:	㉢
	:			
			:	
	:		:	

㉠ : ㉡ : ㉢ = ____ : ____ : ____

③ ㉠ : ㉢ = 5 : 12 , ㉡ : ㉢ = 4 : 3

㉠	:	㉡	:	㉢
	:			
			:	
	:		:	

㉠ : ㉡ : ㉢ = ____ : ____ : ____

④ ㉡ : ㉢ = 3 : 20 , ㉠ : ㉢ = 9 : 10

㉠	:	㉡	:	㉢
			:	
	:			
	:		:	

㉠ : ㉡ : ㉢ = ____ : ____ : ____

⑤ ㉠ : ㉢ = 7 : 10 , ㉡ : ㉢ = 7 : 30

㉠	:	㉡	:	㉢
	:			
			:	
	:		:	

㉠ : ㉡ : ㉢ = ____ : ____ : ____

⑥ ㉠ : ㉡ = 5 : 1 , ㉠ : ㉢ = 20 : 3

㉠	:	㉡	:	㉢
	:			
			:	
	:		:	

㉠ : ㉡ : ㉢ = ____ : ____ : ____

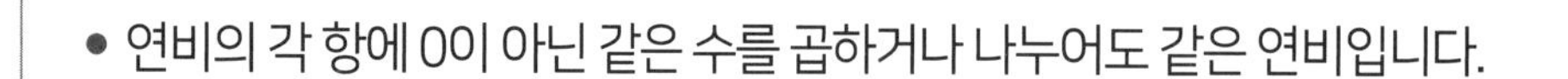

- 연비의 각 항에 0이 아닌 같은 수를 곱하거나 나누어도 같은 연비입니다.

㉠ : ㉡ : ㉢ = 3 : 4 : 5 = (3 × 2) : (4 × 2) : (5 × 2) = 6 : 8 : 10

➡ ㉠ : ㉡, ㉡ : ㉢, ㉠ : ㉢이 나타내는 비율의 크기가 같으므로 각 항에 같은 수를 곱해도 같은 연비입니다.

㉠, ㉡, ㉢의 비를 구하세요.

① ㉠ : ㉡ = 8 : 3 , ㉠ : ㉢ = 4 : 5

㉠ : ㉡ : ㉢

㉠ : ㉡ : ㉢ = ____ : ____ : ____

② ㉡ : ㉢ = 7 : 15 , ㉠ : ㉢ = 4 : 3

㉠ : ㉡ : ㉢

㉠ : ㉡ : ㉢ = ____ : ____ : ____

③ ㉠ : ㉢ = 11 : 30 , ㉡ : ㉢ = 7 : 20

㉠ : ㉡ : ㉢

㉠ : ㉡ : ㉢ = ____ : ____ : ____

④ ㉡ : ㉢ = 8 : 15 , ㉠ : ㉢ = 7 : 30

㉠ : ㉡ : ㉢

㉠ : ㉡ : ㉢ = ____ : ____ : ____

Tip 가장 간단한 연비를 만들려면 먼저 주어진 비들을 가장 간단한 자연수의 비로 바꾸어야 합니다.

4 일 세 수의 비 만들기

월 일

㉠, ㉡, ㉢의 비를 구하세요.

① ㉠ : ㉡ = ③ : 7 , ㉠ : ㉢ = ⑦ : 2

➡ ㉠ : ㉡ : ㉢ = ____ : ____ : ____

② ㉡ : ㉢ = 7 : 6 , ㉠ : ㉢ = 3 : 4

➡ ㉠ : ㉡ : ㉢ = ____ : ____ : ____

③ ㉠ : ㉢ = 3 : 10 , ㉡ : ㉢ = 4 : 15

➡ ㉠ : ㉡ : ㉢ = ____ : ____ : ____

④ ㉠ : ㉡ = 12 : 5 , ㉠ : ㉢ = 15 : 1

➡ ㉠ : ㉡ : ㉢ = ____ : ____ : ____

⑤ ㉡ : ㉢ = 8 : 21 , ㉠ : ㉢ = 5 : 14

➡ ㉠ : ㉡ : ㉢ = ____ : ____ : ____

⑥ ㉠ : ㉢ = 5 : 12 , ㉡ : ㉢ = 5 : 18

➡ ㉠ : ㉡ : ㉢ = ____ : ____ : ____

⑦ ㉡ : ㉢ = 1 : 16 , ㉠ : ㉢ = 5 : 12

➡ ㉠ : ㉡ : ㉢ = ____ : ____ : ____

⑧ ㉠ : ㉡ = 9 : 10 , ㉠ : ㉢ = 12 : 5

➡ ㉠ : ㉡ : ㉢ = ____ : ____ : ____

㉠, ㉡, ㉢의 비를 구하세요.

① ㉠ : ㉡ = 5 : 6 , ㉠ : ㉢ = 1 : 3

➡ ㉠ : ㉡ : ㉢ = ____ : ____ : ____

② ㉡ : ㉢ = 3 : 4 , ㉠ : ㉢ = 5 : 8

➡ ㉠ : ㉡ : ㉢ = ____ : ____ : ____

③ ㉠ : ㉢ = 5 : 12 , ㉡ : ㉢ = 3 : 8

➡ ㉠ : ㉡ : ㉢ = ____ : ____ : ____

④ ㉠ : ㉡ = 20 : 3 , ㉠ : ㉢ = 15 : 4

➡ ㉠ : ㉡ : ㉢ = ____ : ____ : ____

⑤ ㉡ : ㉢ = 5 : 24 , ㉠ : ㉢ = 3 : 32

➡ ㉠ : ㉡ : ㉢ = ____ : ____ : ____

⑥ ㉠ : ㉡ = 15 : 7 , ㉠ : ㉢ = 10 : 3

➡ ㉠ : ㉡ : ㉢ = ____ : ____ : ____

⑦ ㉡ : ㉢ = 3 : 8 , ㉠ : ㉢ = 7 : 12

➡ ㉠ : ㉡ : ㉢ = ____ : ____ : ____

⑧ ㉠ : ㉢ = 9 : 4 , ㉡ : ㉢ = 7 : 20

➡ ㉠ : ㉡ : ㉢ = ____ : ____ : ____

문제를 읽고 답을 구하세요.

① 구슬과 딱지의 수의 비는 4 : 5, 딱지와 팽이의 수의 비는 3 : 2입니다. 구슬, 딱지, 팽이의 수의 비를 구하세요.

답: (구슬) : (딱지) : (팽이) = ____ : ____ : ____

② 가람이와 나영이의 키의 비는 3 : 5, 가람이와 다정이의 키의 비는 9 : 8입니다. 가람이, 나영이, 다정이의 키의 비를 구하세요.

답: (가람) : (나영) : (다정) = ____ : ____ : ____

③ 용인시와 성남시의 인구수의 비는 6 : 5, 부산시와 성남시의 인구수의 비는 18 : 5입니다. 부산시, 용인시, 성남시의 인구수의 비를 구하세요.

답: (부산시) : (용인시) : (성남시) = ____ : ____ : ____

④ 프랑스와 폴란드의 면적의 비는 27 : 16이고, 폴란드와 아이슬란드의 면적의 비는 8 : 5입니다. 프랑스, 폴란드, 아이슬란드의 면적의 비를 구하세요.

답: (프랑스) : (폴란드) : (아이슬란드) = ____ : ____ : ____

색칠된 부분의 넓이의 비를 수로 적었습니다. 빈 곳에 알맞은 수를 써넣으세요.

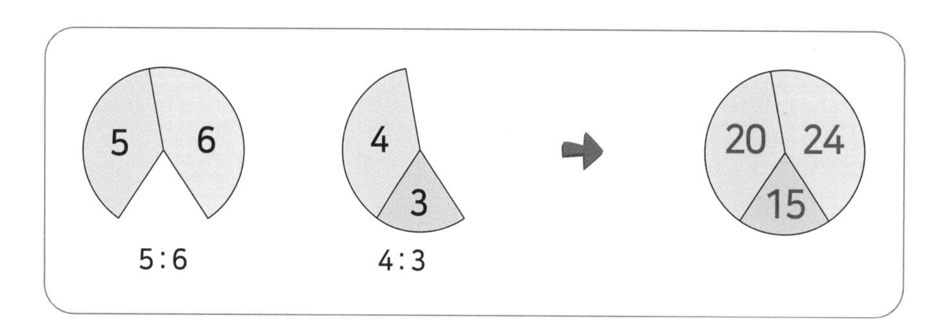

①

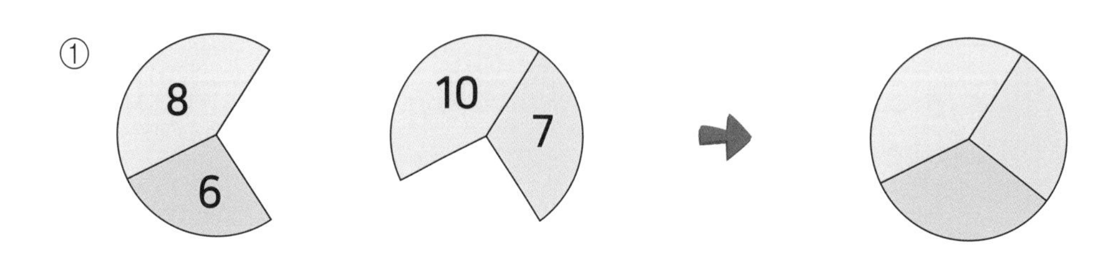

②

③

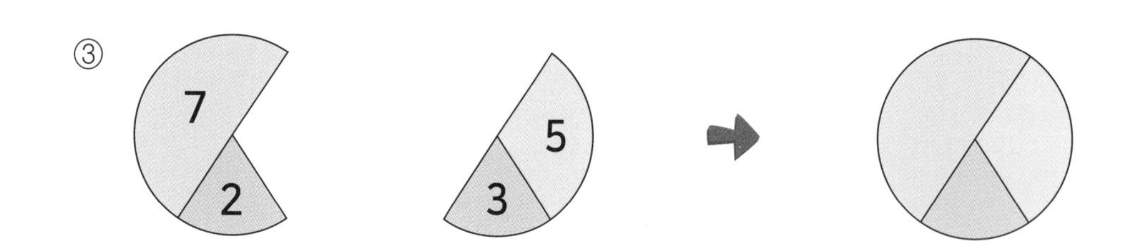

④

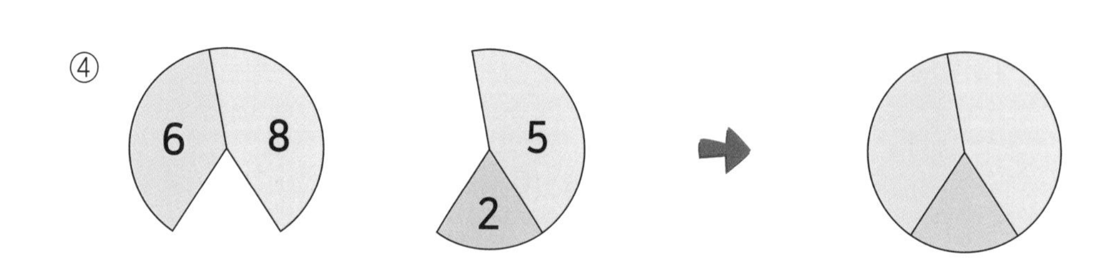

연비를 잘못 나타낸 것에 X표 하고 바르게 고치세요.

㉠:㉡ = 1:3, ㉠:㉢ = 2:5 ➡ ㉠:㉡:㉢ = 2:6:5	㉠:㉡ = 3:2, ㉡:㉢ = 7:2 ➡ ㉠:㉡:㉢ = 21:14:4
㉠:㉡ = 5:3, ㉠:㉢ = 4:7 ➡ ㉠:㉡:㉢ = 20:12:35	㉠:㉡ = 1:5, ㉡:㉢ = 1:7 ➡ ㉠:㉡:㉢ = 1:5:7

㉠:㉡ = 4:5, ㉠:㉢ = 3:2 ➡ ㉠:㉡:㉢ = 12:15:8	㉠:㉡ = 8:3, ㉡:㉢ = 8:5 ➡ ㉠:㉡:㉢ = 8:3:5
㉠:㉡ = 10:7, ㉠:㉢ = 5:2 ➡ ㉠:㉡:㉢ = 10:7:4	㉠:㉡ = 1:3, ㉡:㉢ = 9:7 ➡ ㉠:㉡:㉢ = 3:9:7

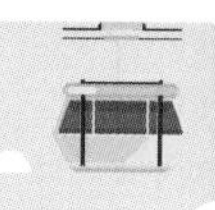

관계있는 것끼리 선으로 연결하세요.

㉠ : ㉡ = 3 : 2 ㉡ : ㉢ = 4 : 5	㉠ : ㉡ : ㉢ = 9 : 5 : 21
㉠ : ㉡ = 9 : 5 ㉠ : ㉢ = 3 : 7	㉠ : ㉡ : ㉢ = 2 : 15 : 36
㉡ : ㉢ = 7 : 10 ㉠ : ㉢ = 4 : 15	㉠ : ㉡ : ㉢ = 16 : 6 : 11
㉠ : ㉡ = 5 : 8 ㉡ : ㉢ = 4 : 3	㉠ : ㉡ : ㉢ = 5 : 8 : 6
㉡ : ㉢ = 5 : 12 ㉠ : ㉢ = 1 : 18	㉠ : ㉡ : ㉢ = 8 : 21 : 30
㉠ : ㉡ = 8 : 3 ㉠ : ㉢ = 16 : 11	㉠ : ㉡ : ㉢ = 6 : 4 : 5

• 5주차 •

비례배분

전체를 주어진 비로 나누는 비례배분을 배웁니다. 1일차부터 3일차까지는 비율을 이용하거나 비의 성질을 이용해서 부분의 양을 구하는 원리를 배웁니다. 4, 5일차에는 실제로 부분의 양을 구해 비례배분을 하는 연습을 합니다.

비례배분

동영상 해설

문제를 보고 비를 구하세요. 단, 비는 가장 간단한 자연수의 비로 나타냅니다.

①
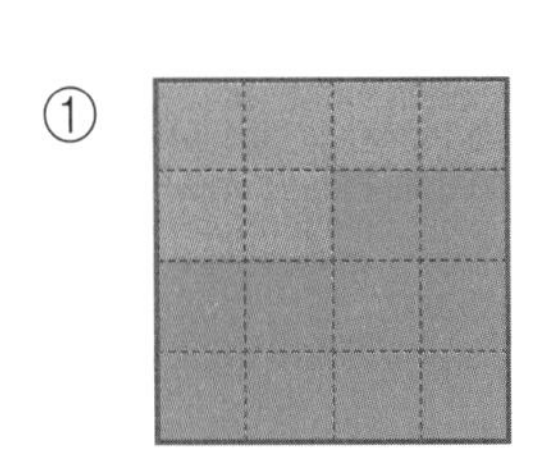

노란색 부분과 파란색 부분의 넓이의 비 → ____ : ____

파란색 부분과 전체의 넓이의 비 → ____ : ____

노란색 부분과 전체의 넓이의 비 → ____ : ____

②
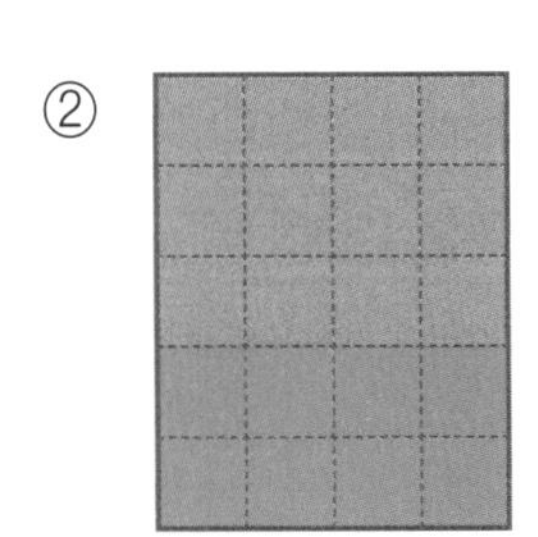

노란색 부분과 파란색 부분의 넓이의 비 → ____ : ____

파란색 부분과 전체의 넓이의 비 → ____ : ____

노란색 부분과 전체의 넓이의 비 → ____ : ____

③
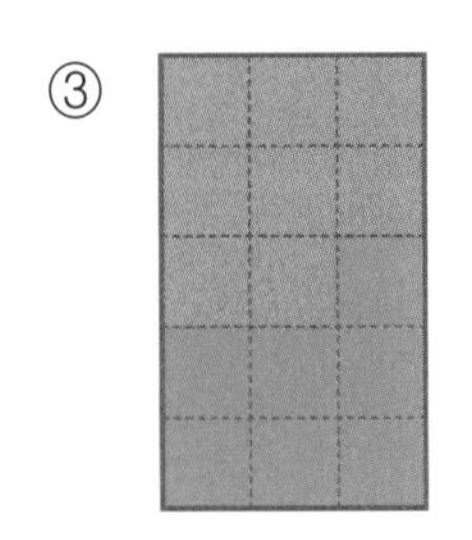

노란색 부분과 파란색 부분의 넓이의 비 → ____ : ____

파란색 부분과 전체의 넓이의 비 → ____ : ____

노란색 부분과 전체의 넓이의 비 → ____ : ____

④
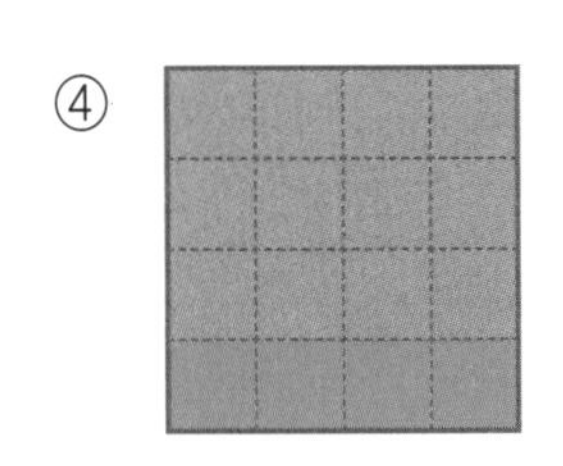

노란색 부분과 파란색 부분의 넓이의 비 → ____ : ____

파란색 부분과 전체의 넓이의 비 → ____ : ____

노란색 부분과 전체의 넓이의 비 → ____ : ____

⑤
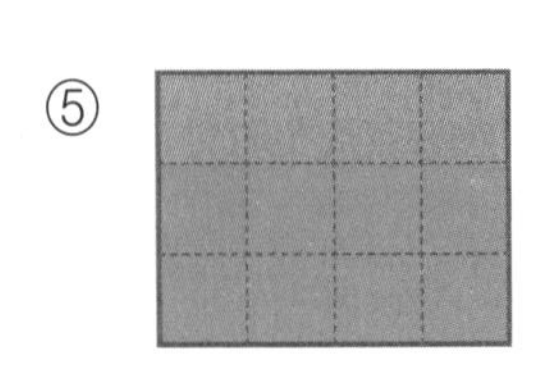

노란색 부분과 파란색 부분의 넓이의 비 → ____ : ____

파란색 부분과 전체의 넓이의 비 → ____ : ____

노란색 부분과 전체의 넓이의 비 → ____ : ____

• 비례배분은 전체를 주어진 비로 배분하는 것입니다. 전체를 ㉠ : ㉡인 ■ : ●로 나누면 아래와 같습니다.

㉠ = (전체) × $\frac{■}{■ + ●}$ ㉡ = (전체) × $\frac{●}{■ + ●}$

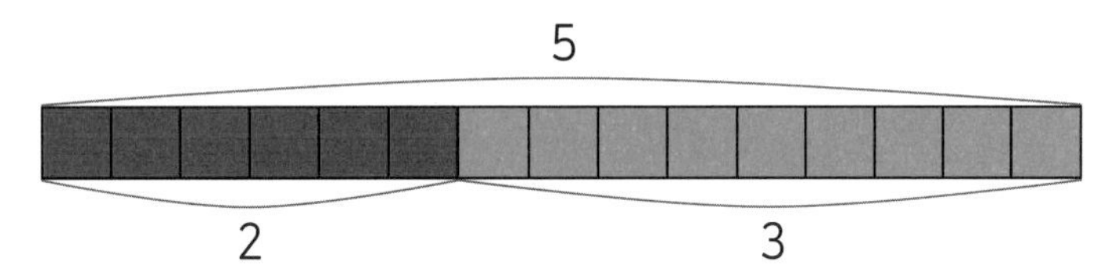

(전체) : (빨간색 부분) = 5 : 2 ➡ (빨간색 부분) = $15 \times \frac{2}{3+2} = 15 \times \frac{2}{5} = 6$

(전체) : (파란색 부분) = 5 : 3 ➡ (파란색 부분) = $15 \times \frac{3}{3+2} = 15 \times \frac{3}{5} = 9$

□에 알맞은 수를 써넣으세요.

① ㉠ + ㉡ = 50, ㉠ : ㉡ = 7 : 3

㉠ = 50 × $\frac{□}{□ + □}$ = □

㉡ = 50 × $\frac{□}{□ + □}$ = □

② ㉠ + ㉡ = 48, ㉠ : ㉡ = 5 : 3

㉠ = 48 × $\frac{□}{□ + □}$ = □

㉡ = 48 × $\frac{□}{□ + □}$ = □

③ ㉠ + ㉡ = 33, ㉠ : ㉡ = 4 : 7

㉠ = 33 × $\frac{□}{□ + □}$ = □

㉡ = 33 × $\frac{□}{□ + □}$ = □

④ ㉠ + ㉡ = 72, ㉠ : ㉡ = 5 : 4

㉠ = 72 × $\frac{□}{□ + □}$ = □

㉡ = 72 × $\frac{□}{□ + □}$ = □

□에 알맞은 수를 써넣으세요.

① 사과와 배의 수의 합 = 20
(사과) : (배) = 2 : 3

사과 : □ × □/□ = □

배 : □ × □/□ = □

② 연필과 볼펜의 수의 합 = 36
(연필) : (볼펜) = 5 : 7

연필 : □ × □/□ = □

볼펜 : □ × □/□ = □

③ 포도와 딸기의 수의 합 = 50
(포도) : (딸기) = 3 : 7

포도 : □ × □/□ = □

딸기 : □ × □/□ = □

④ 사과와 배의 수의 합 = 49
(사과) : (배) = 3 : 4

사과 : □ × □/□ = □

배 : □ × □/□ = □

⑤ 연필과 볼펜의 수의 합 = 39
(연필) : (볼펜) = 4 : 9

연필 : □ × □/□ = □

볼펜 : □ × □/□ = □

⑥ 포도와 딸기의 수의 합 = 75
(포도) : (딸기) = 8 : 7

포도 : □ × □/□ = □

딸기 : □ × □/□ = □

2일 두 부분의 비율로 구하기

월 일

- 비례배분을 할 때 한 부분의 양을 먼저 구하고, 두 부분의 양의 비율로 다른 부분의 양을 구할 수 있습니다.

35를 ㉠ : ㉡인 2 : 5로 비례배분 ➡ ㉠ $= 35 \times \frac{2}{(2+5)} = 10$ (전체에 대한 ㉠의 비율) ㉡ $= 10 \times \frac{5}{2} = 25$ (㉠에 대한 ㉡의 비율)

문제를 읽고 답을 구하세요.

① ㉠ + ㉡ = 56, ㉠ : ㉡ = 4 : 3

➡ ㉠ = ____ ㉡ = ____

② ㉠ + ㉡ = 45, ㉠ : ㉡ = 8 : 1

➡ ㉠ = ____ ㉡ = ____

③ ㉠ + ㉡ = 52, ㉠ : ㉡ = 5 : 8

➡ ㉠ = ____ ㉡ = ____

④ ㉠ + ㉡ = 80, ㉠ : ㉡ = 11 : 9

➡ ㉠ = ____ ㉡ = ____

Tip 가장 간단한 자연수의 비로 고친 다음 계산하는 것이 더 편리합니다.

- 비례배분을 할 때, 전체에 대한 각 부분의 비율의 합은 항상 1입니다. 전체를 ㉠ : ㉡인 ■ : ●로 나누면 아래와 같습니다.

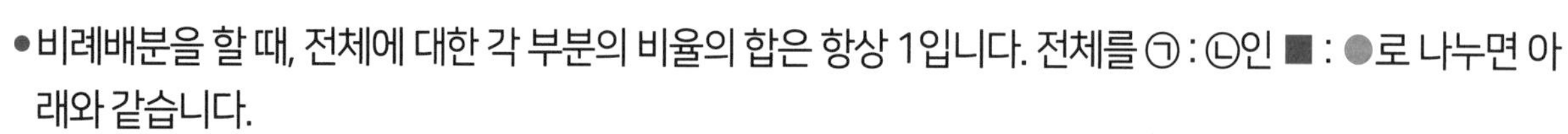

$\frac{㉠}{(전체)} = \frac{■}{■ + ●}$ $\frac{㉡}{(전체)} = \frac{●}{■ + ●}$ ➡ $\frac{㉠}{(전체)} + \frac{㉡}{(전체)} = \frac{■}{■ + ●} + \frac{●}{■ + ●} = \frac{■ + ●}{■ + ●} = 1$

문제를 읽고 답을 구하세요.

① ㉠ + ㉡ = 121, ㉠ : ㉡ = 6 : 5

㉠ = ____ ㉡ = ____

② ㉠ + ㉡ = 120, ㉠ : ㉡ = 5 : 7

㉠ = ____ ㉡ = ____

③ ㉠ + ㉡ = 30, ㉠ : ㉡ = 9 : 1

㉠ = ____ ㉡ = ____

④ ㉠ + ㉡ = 90, ㉠ : ㉡ = 7 : 11

㉠ = ____ ㉡ = ____

⑤ ㉠ + ㉡ = 58, ㉠ : ㉡ = 13 : 16

㉠ = ____ ㉡ = ____

⑥ ㉠ + ㉡ = 111, ㉠ : ㉡ = 2 : 1

㉠ = ____ ㉡ = ____

●, ◇ 위에 있는 수는 ●와 ◇의 합, 아래에 있는 비는 ●와 ◇의 비입니다. ●와 ◇가 나타내는 수를 구하세요.

①

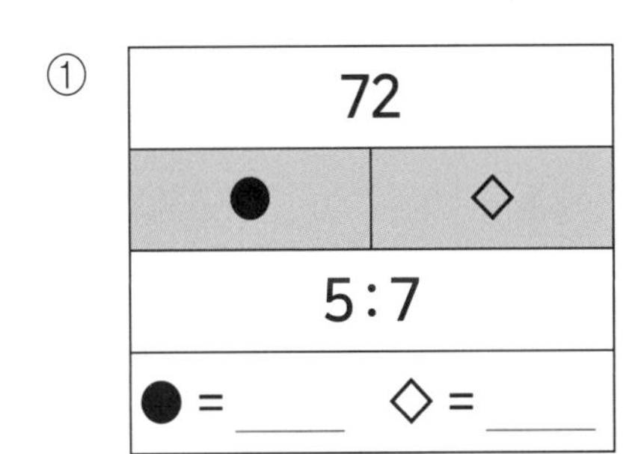

72	
●	◇
5 : 7	
● = ____	◇ = ____

②

80	
●	◇
7 : 9	
● = ____	◇ = ____

③

51	
●	◇
5 : 12	
● = ____	◇ = ____

④

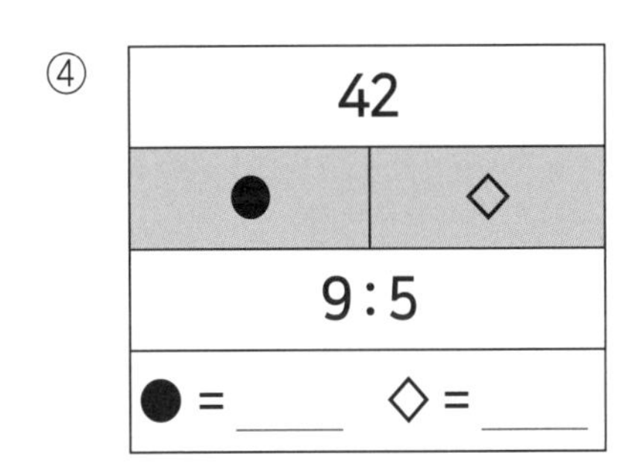

42	
●	◇
9 : 5	
● = ____	◇ = ____

⑤

35	
●	◇
3 : 2	
● = ____	◇ = ____

⑥

99	
●	◇
8 : 1	
● = ____	◇ = ____

⑦

132	
●	◇
1 : 10	
● = ____	◇ = ____

⑧

96	
●	◇
3 : 5	
● = ____	◇ = ____

비의 성질로 구하기

월 일

- ㉠, ㉡과 ㉠ + ㉡(전체)을 비교하여 연비로 나타냅니다. 비의 각 항에 같은 수를 곱하거나 나누어도 같은 연비를 나타내는 성질을 이용해서 각 부분의 양을 구할 수 있습니다.

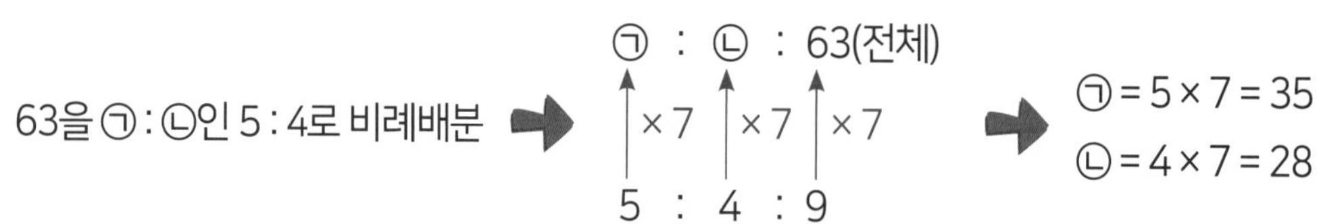

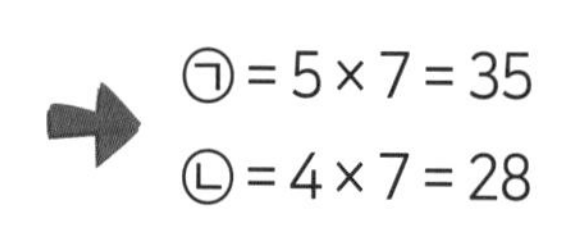

문제를 읽고 답을 구하세요.

① ㉠ + ㉡ = 30, ㉠ : ㉡ = 5 : 1

㉠ = ____ ㉡ = ____

② ㉠ + ㉡ = 77, ㉠ : ㉡ = 2 : 5

㉠ = ____ ㉡ = ____

③ ㉠ + ㉡ = 100, ㉠ : ㉡ = 12 : 13

㉠ = ____ ㉡ = ____

④ ㉠ + ㉡ = 80, ㉠ : ㉡ = 1 : 7

㉠ = ____ ㉡ = ____

⑤ ㉠ + ㉡ = 84, ㉠ : ㉡ = 11 : 3

㉠ = ____ ㉡ = ____

⑥ ㉠ + ㉡ = 18, ㉠ : ㉡ = 1 : 5

㉠ = ____ ㉡ = ____

문제를 읽고 답을 구하세요.

① ★ + ◇ = 63, ★ : ◇ = 2 : 7

★ = _____ ◇ = _____

② ★ + ◇ = 80, ★ : ◇ = 3 : 5

★ = _____ ◇ = _____

③ ★ + ◇ = 66, ★ : ◇ = 5 : 6

★ = _____ ◇ = _____

④ ★ + ◇ = 130, ★ : ◇ = 7 : 3

★ = _____ ◇ = _____

⑤ ★ + ◇ = 112, ★ : ◇ = 3 : 4

★ = _____ ◇ = _____

⑥ ★ + ◇ = 95, ★ : ◇ = 4 : 15

★ = _____ ◇ = _____

⑦ ★ + ◇ = 87, ★ : ◇ = 13 : 16

★ = _____ ◇ = _____

⑧ ★ + ◇ = 40, ★ : ◇ = 1 : 9

★ = _____ ◇ = _____

문제를 읽고 답을 구하세요.

① ★ + ◇ = 75, ★ : ◇ = 8 : 7

★ = _____ ◇ = _____

② ★ + ◇ = 60, ★ : ◇ = 5 : 7

★ = _____ ◇ = _____

③ ★ + ◇ = 35, ★ : ◇ = 4 : 3

★ = _____ ◇ = _____

④ ★ + ◇ = 96, ★ : ◇ = 11 : 1

★ = _____ ◇ = _____

⑤ ★ + ◇ = 84, ★ : ◇ = 5 : 2

★ = _____ ◇ = _____

⑥ ★ + ◇ = 104, ★ : ◇ = 11 : 15

★ = _____ ◇ = _____

⑦ ★ + ◇ = 48, ★ : ◇ = 1 : 23

★ = _____ ◇ = _____

⑧ ★ + ◇ = 88, ★ : ◇ = 3 : 5

★ = _____ ◇ = _____

연산 퍼즐

공부한 날 월 일

직사각형 위의 수는 두 직사각형의 넓이의 합입니다. 직사각형 안에 그 넓이를 써넣으세요.

①
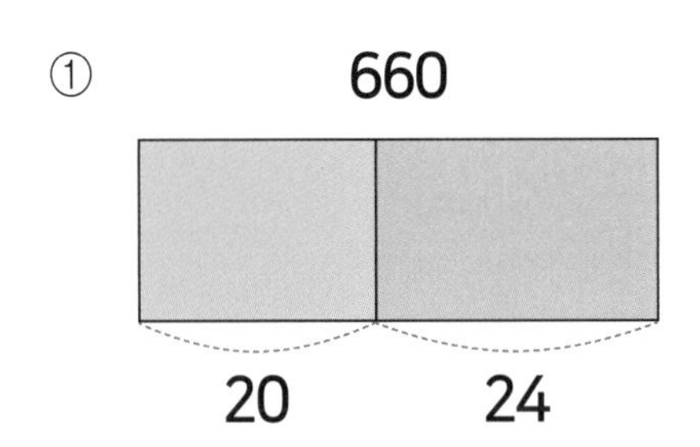

②
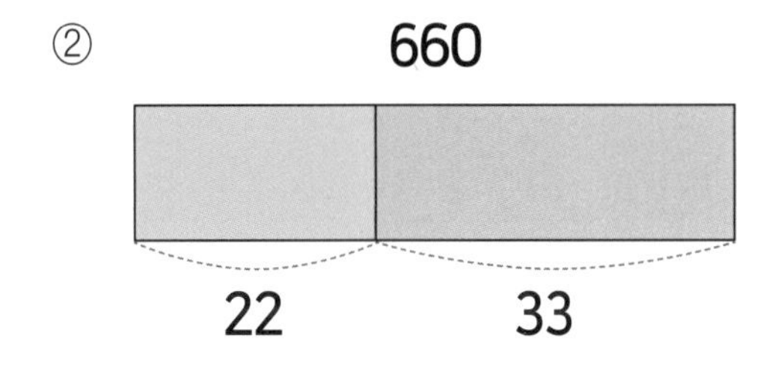

③
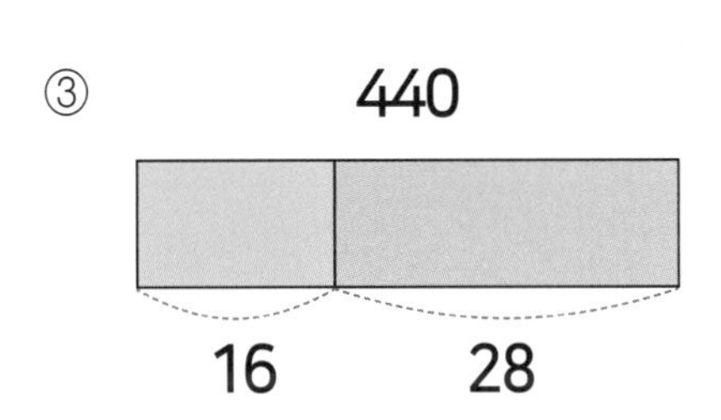

④
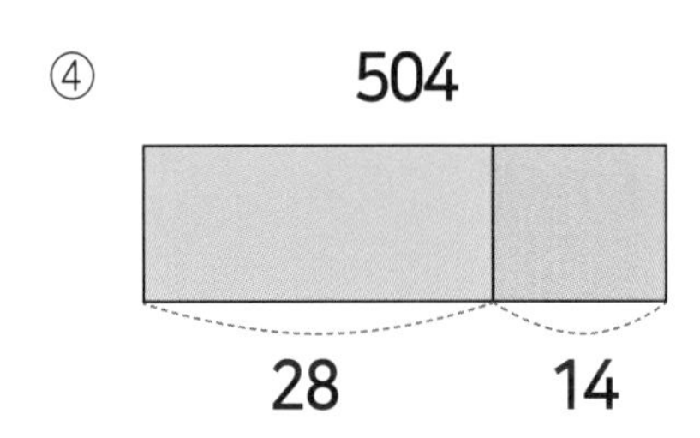

⑤
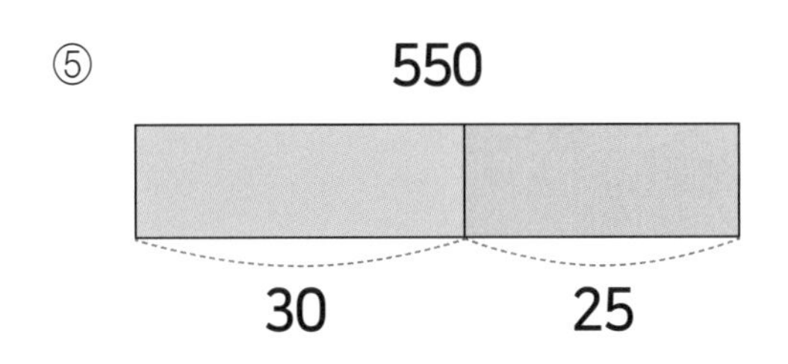

⑥
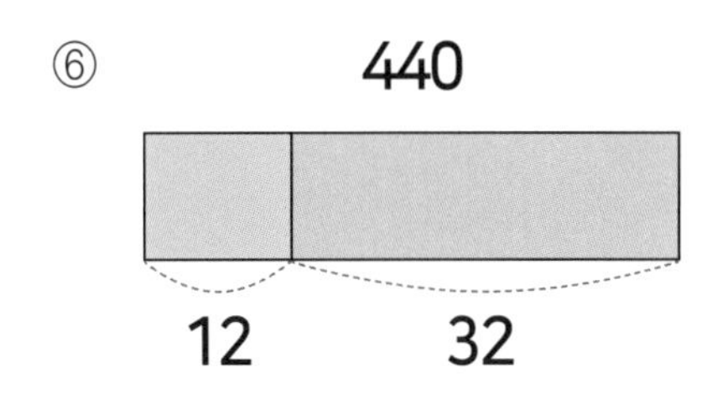

⑦
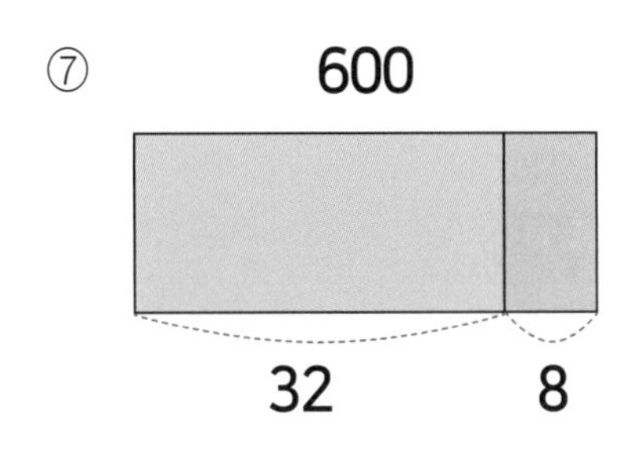

⑧
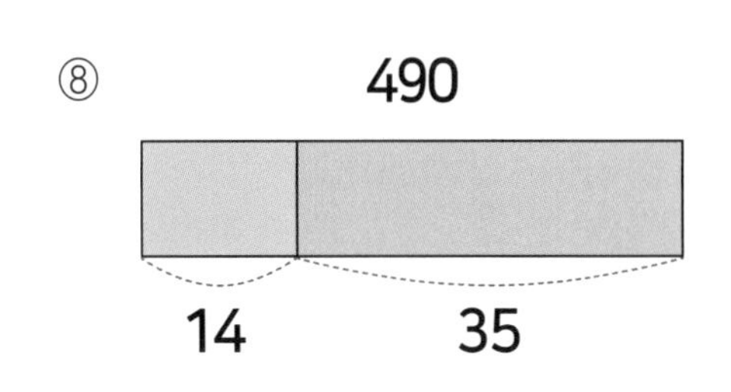

추의 무게의 비는 추 안에 적힌 수의 비와 같습니다. 추의 무게를 구하세요.

①

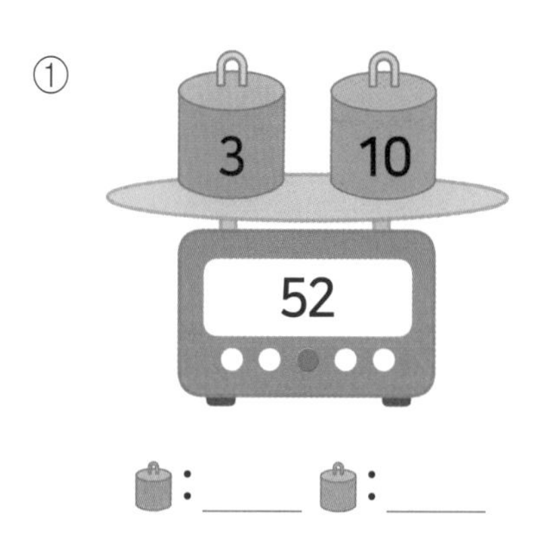

②

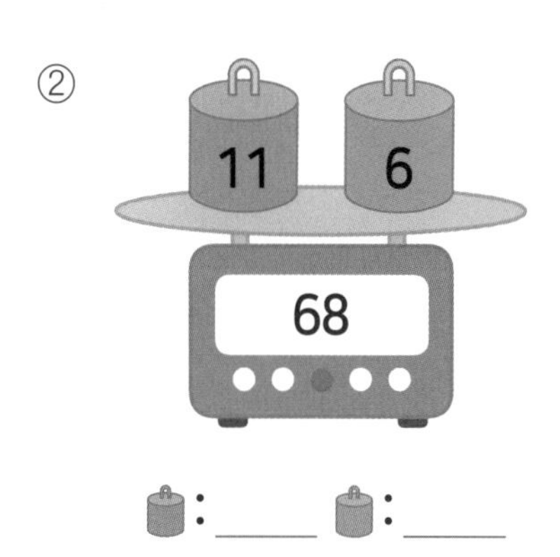

③

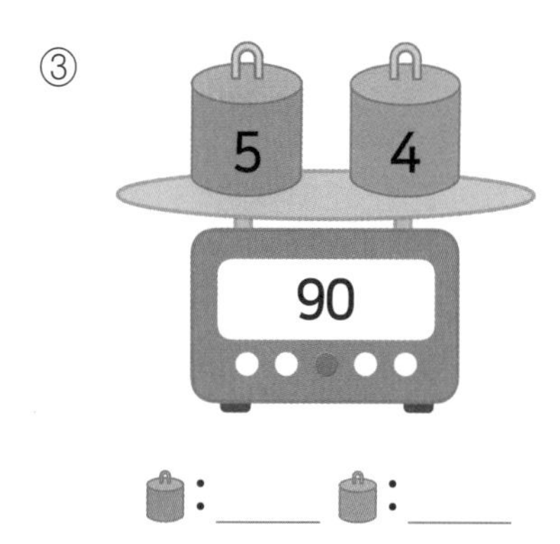

④

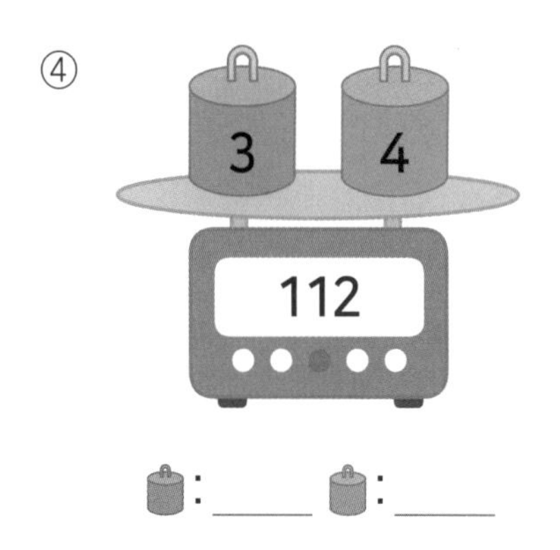

⑤

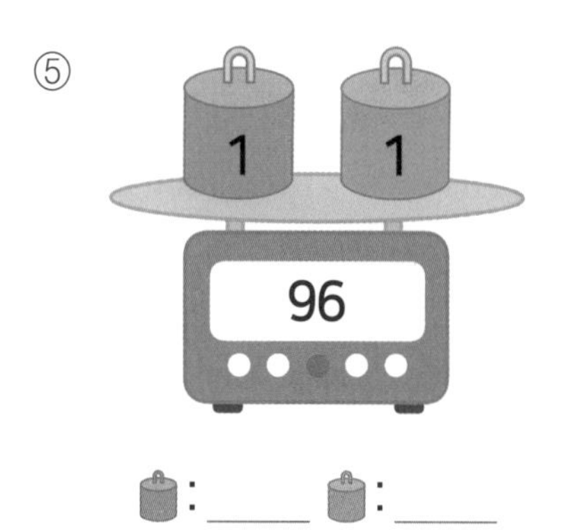

막대 아래의 비는 왼쪽 막대와 오른쪽 막대의 길이의 비입니다. □에 알맞은 수를 써넣으세요.

①
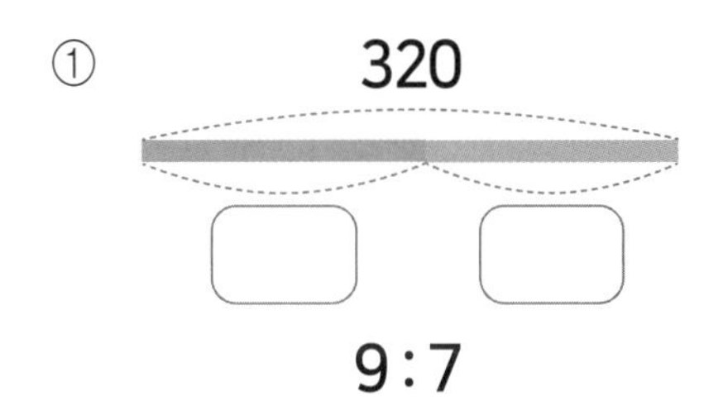

②
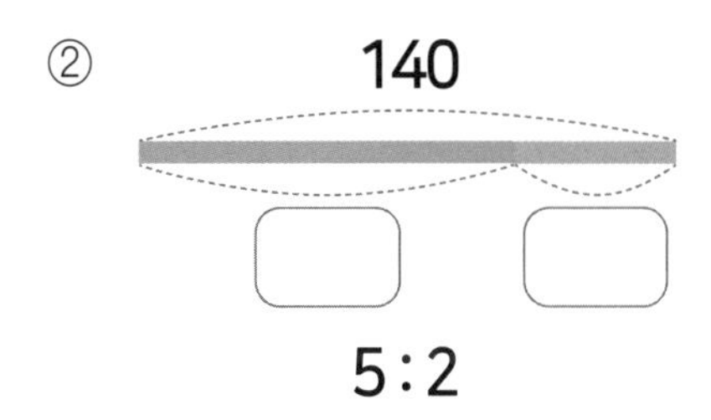

③
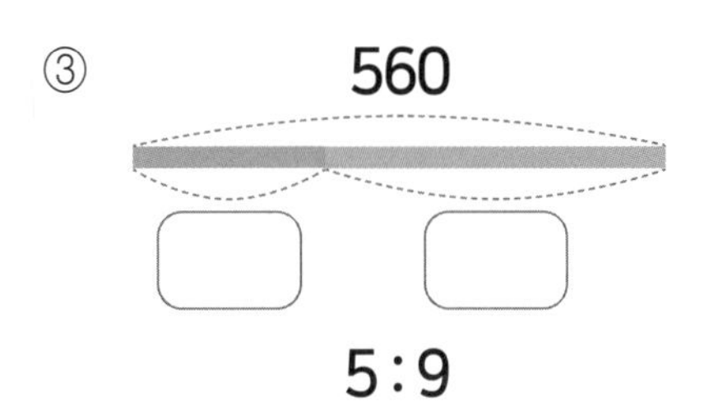

④
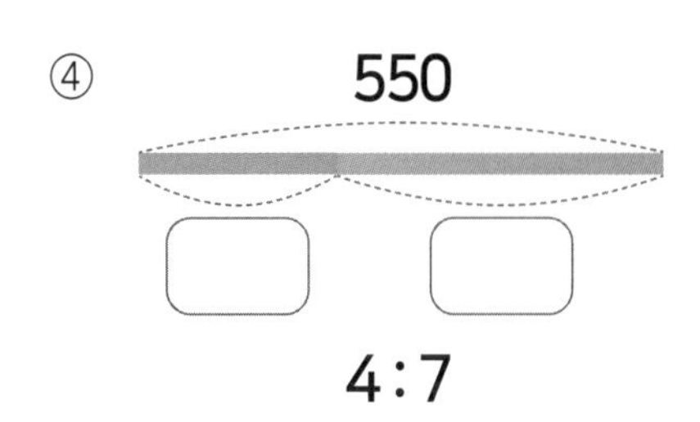

⑤
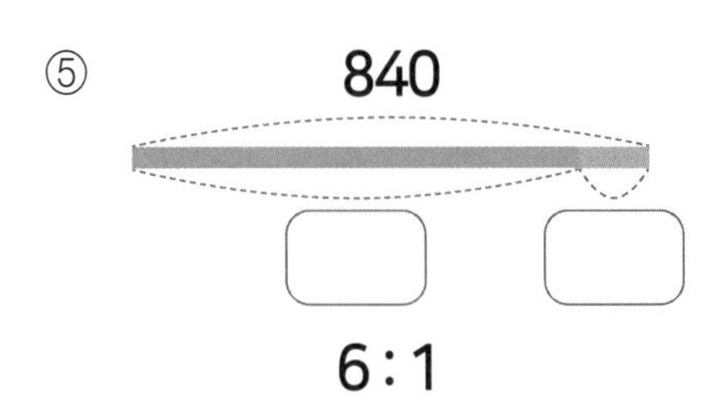

⑥
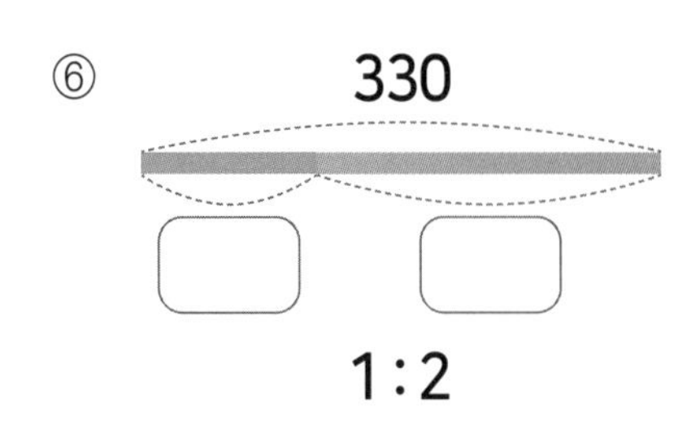

⑦
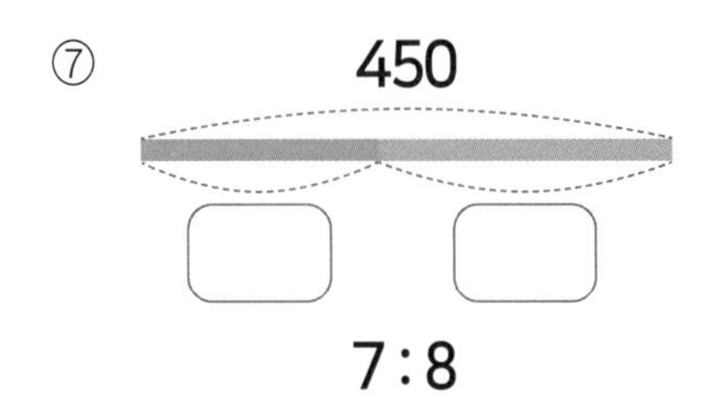

⑧
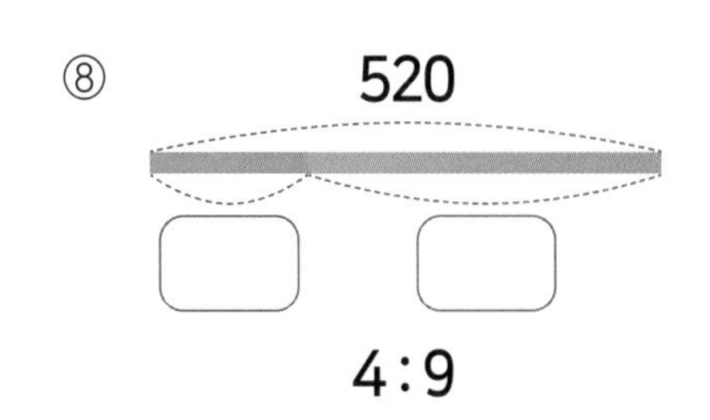

문장제

월 일

문제를 읽고 알맞은 답을 구하세요.

① 어느 날의 낮과 밤의 길이의 비는 5 : 7입니다. 밤은 몇 시간인가요?

답: ________ 시간

② 가람이와 나영이가 7 : 3의 비로 돈을 모아 15000원짜리 인형을 사려고 합니다. 가람이가 내야 하는 돈은 얼마인가요?

답: ________ 원

③ 400 mL의 음료수를 만들기 위해 사과 원액과 물을 3 : 5의 비율로 섞었습니다. 음료수를 만들기 위해 넣은 사과 원액은 몇 mL인가요?

답: ________ mL

④ 행복시는 동구와 서구로 나누어져 있습니다. 행복시의 면적이 220 km^2이고, 동구와 서구의 면적의 비가 5 : 6이라면 동구의 면적은 몇 km^2인가요?

답: ________ km^2

⑤ 사과 64개를 기영이와 나윤이가 3 : 5의 비로 나누어 가졌습니다. 기영이는 사과 몇 개를 가지게 되었나요?

답: ________ 개

문제를 읽고 알맞은 답을 구하세요.

① 6학년 학생은 모두 200명이고 남학생과 여학생의 비는 11 : 9입니다. 여학생은 몇 명인가요?

답: ________ 명

② 6학년 1반 학생 25명을 두 개 모둠으로 나누었습니다. 1모둠과 2모둠에 속한 학생 수의 비가 2 : 3일 때, 1모둠에 속한 학생은 몇 명인가요?

답: ________ 명

③ 둘레가 144 cm인 직사각형이 있습니다. 이 직사각형의 가로 길이와 세로 길이의 비는 11 : 7일 때, 직사각형의 가로의 길이는 몇 cm인가요?

답: ________ cm

④ 수학 시험에 140명이 응시했고, 합격한 사람과 불합격한 사람의 비는 2 : 5입니다. 합격한 사람은 몇 명인가요?

답: ________ 명

⑤ 빨간색, 파란색 물감을 4 : 5의 비로 섞어 보라색 물감을 만듭니다. 보라색 물감 36 g을 만들려면 파란색 물감 몇 g이 필요한가요?

답: ________ g

문제를 읽고 알맞은 답을 구하세요.

① 감자 40개 중에 썩은 감자와 싱싱한 감자의 비는 3 : 5입니다. 싱싱한 감자는 몇 개인가요?

답: ________ 개

② 길이가 24 cm인 노끈을 길이의 비가 5 : 7이 되도록 두 도막으로 잘랐습니다. 둘 중에 더 긴 도막의 길이는 몇 cm인가요?

답: ________ cm

③ 어느 호텔에 객실이 70개 있는데 예약된 객실과 예약되지 않은 객실의 비는 3 : 7입니다. 예약된 객실은 몇 개인가요?

답: ________ 개

④ 가람이와 나영이의 나이의 비는 6 : 5이고 두 사람의 나이의 합은 22살입니다. 가람이는 몇 살인가요?

답: ________ 살

⑤ 직각삼각형에서 직각이 아닌 두 각의 크기의 비는 11 : 7입니다. 두 각 중에 크기가 작은 각의 크기는 몇 °인가요?

답: ________ °

6주차

도전! 계산왕

연비와 비례배분

문제를 읽고 답을 구하세요.

① ㉠ : ㉡ = 2 : 3 , ㉠ : ㉢ = 4 : 5

➡ ㉠ : ㉡ : ㉢ = ____ : ____ : ____

② ㉠ : ㉡ = 5 : 6 , ㉡ : ㉢ = 4 : 7

➡ ㉠ : ㉡ : ㉢ = ____ : ____ : ____

③ ㉡ : ㉢ = 10 : 7 , ㉠ : ㉢ = 2 : 21

➡ ㉠ : ㉡ : ㉢ = ____ : ____ : ____

④ ㉠ : ㉡ = 3 : 5 , ㉠ : ㉢ = 4 : 9

➡ ㉠ : ㉡ : ㉢ = ____ : ____ : ____

⑤ ㉠ : ㉢ = 2 : 3 , ㉡ : ㉢ = 2 : 5

➡ ㉠ : ㉡ : ㉢ = ____ : ____ : ____

⑥ ㉠ + ㉡ = 56, ㉠ : ㉡ = 4 : 3

➡ ㉠ = ____ ㉡ = ____

⑦ ㉠ + ㉡ = 48, ㉠ : ㉡ = 5 : 3

➡ ㉠ = ____ ㉡ = ____

⑧ ㉠ + ㉡ = 72, ㉠ : ㉡ = 7 : 5

➡ ㉠ = ____ ㉡ = ____

⑨ ㉠ + ㉡ = 126, ㉠ : ㉡ = 5 : 4

➡ ㉠ = ____ ㉡ = ____

⑩ ㉠ + ㉡ = 60, ㉠ : ㉡ = 2 : 3

➡ ㉠ = ____ ㉡ = ____

연비와 비례배분

공부한 날	월 일
점수	/10

문제를 읽고 답을 구하세요.

① ㉠:㉡=3:5, ㉠:㉢=2:1

➡ ㉠:㉡:㉢= ____ : ____ : ____

② ㉠:㉡=4:3, ㉡:㉢=6:5

➡ ㉠:㉡:㉢= ____ : ____ : ____

③ ㉡:㉢=4:6, ㉠:㉢=5:3

➡ ㉠:㉡:㉢= ____ : ____ : ____

④ ㉠:㉡=5:7, ㉠:㉢=3:5

➡ ㉠:㉡:㉢= ____ : ____ : ____

⑤ ㉠:㉢=3:7, ㉡:㉢=5:9

➡ ㉠:㉡:㉢= ____ : ____ : ____

⑥ ㉠+㉡=36, ㉠:㉡=7:5

➡ ㉠= ____ ㉡= ____

⑦ ㉠+㉡=50, ㉠:㉡=7:3

➡ ㉠= ____ ㉡= ____

⑧ ㉠+㉡=135, ㉠:㉡=3:2

➡ ㉠= ____ ㉡= ____

⑨ ㉠+㉡=112, ㉠:㉡=9:7

➡ ㉠= ____ ㉡= ____

⑩ ㉠+㉡=140, ㉠:㉡=13:7

➡ ㉠= ____ ㉡= ____

연비와 비례배분

공부한 날	월 일
점수	/10

문제를 읽고 답을 구하세요.

① ㉠ : ㉡ = 5 : 8 , ㉠ : ㉢ = 4 : 3

➡ ㉠ : ㉡ : ㉢ = ____ : ____ : ____

② ㉠ : ㉡ = 3 : 5 , ㉡ : ㉢ = 3 : 5

➡ ㉠ : ㉡ : ㉢ = ____ : ____ : ____

③ ㉡ : ㉢ = 4 : 3 , ㉠ : ㉢ = 5 : 9

➡ ㉠ : ㉡ : ㉢ = ____ : ____ : ____

④ ㉠ : ㉡ = 6 : 7 , ㉠ : ㉢ = 5 : 2

➡ ㉠ : ㉡ : ㉢ = ____ : ____ : ____

⑤ ㉠ : ㉢ = 2 : 3 , ㉡ : ㉢ = 3 : 5

➡ ㉠ : ㉡ : ㉢ = ____ : ____ : ____

⑥ ㉠ + ㉡ = 26, ㉠ : ㉡ = 8 : 5

➡ ㉠ = ____ ㉡ = ____

⑦ ㉠ + ㉡ = 9, ㉠ : ㉡ = 1 : 2

➡ ㉠ = ____ ㉡ = ____

⑧ ㉠ + ㉡ = 74, ㉠ : ㉡ = 1 : 1

➡ ㉠ = ____ ㉡ = ____

⑨ ㉠ + ㉡ = 75, ㉠ : ㉡ = 13 : 2

➡ ㉠ = ____ ㉡ = ____

⑩ ㉠ + ㉡ = 350, ㉠ : ㉡ = 7 : 3

➡ ㉠ = ____ ㉡ = ____

연비와 비례배분

공부한 날	월 일
점수	/10

문제를 읽고 답을 구하세요.

① ㉠:㉡=4:3, ㉠:㉢=6:1

➡ ㉠:㉡:㉢= ____ : ____ : ____

② ㉠:㉡=4:5, ㉡:㉢=8:5

➡ ㉠:㉡:㉢= ____ : ____ : ____

③ ㉡:㉢=3:7, ㉠:㉢=5:14

➡ ㉠:㉡:㉢= ____ : ____ : ____

④ ㉠:㉡=7:5, ㉠:㉢=5:6

➡ ㉠:㉡:㉢= ____ : ____ : ____

⑤ ㉠:㉢=3:8, ㉡:㉢=4:7

➡ ㉠:㉡:㉢= ____ : ____ : ____

⑥ ㉠+㉡=98, ㉠:㉡=1:6

➡ ㉠= ____ ㉡= ____

⑦ ㉠+㉡=98, ㉠:㉡=5:9

➡ ㉠= ____ ㉡= ____

⑧ ㉠+㉡=65, ㉠:㉡=11:2

➡ ㉠= ____ ㉡= ____

⑨ ㉠+㉡=117, ㉠:㉡=5:4

➡ ㉠= ____ ㉡= ____

⑩ ㉠+㉡=180, ㉠:㉡=11:7

➡ ㉠= ____ ㉡= ____

연비와 비례배분

공부한 날	월 일
점수	/10

문제를 읽고 답을 구하세요.

① ㉠ : ㉡ = 3 : 2 , ㉠ : ㉢ = 1 : 7

➡ ㉠ : ㉡ : ㉢ = ____ : ____ : ____

② ㉠ : ㉡ = 2 : 7 , ㉡ : ㉢ = 2 : 3

➡ ㉠ : ㉡ : ㉢ = ____ : ____ : ____

③ ㉡ : ㉢ = 9 : 4 , ㉠ : ㉢ = 3 : 5

➡ ㉠ : ㉡ : ㉢ = ____ : ____ : ____

④ ㉠ : ㉡ = 3 : 5 , ㉠ : ㉢ = 7 : 8

➡ ㉠ : ㉡ : ㉢ = ____ : ____ : ____

⑤ ㉠ : ㉢ = 3 : 1 , ㉡ : ㉢ = 8 : 5

➡ ㉠ : ㉡ : ㉢ = ____ : ____ : ____

⑥ ㉠ + ㉡ = 100, ㉠ : ㉡ = 4 : 1

➡ ㉠ = ____ ㉡ = ____

⑦ ㉠ + ㉡ = 84, ㉠ : ㉡ = 13 : 1

➡ ㉠ = ____ ㉡ = ____

⑧ ㉠ + ㉡ = 42, ㉠ : ㉡ = 9 : 5

➡ ㉠ = ____ ㉡ = ____

⑨ ㉠ + ㉡ = 165, ㉠ : ㉡ = 4 : 7

➡ ㉠ = ____ ㉡ = ____

⑩ ㉠ + ㉡ = 182, ㉠ : ㉡ = 5 : 2

➡ ㉠ = ____ ㉡ = ____

연비와 비례배분

공부한 날 월 일
점수 /10

문제를 읽고 답을 구하세요.

① ㉠ : ㉡ = 5 : 1 , ㉠ : ㉢ = 4 : 1

➡ ㉠ : ㉡ : ㉢ = ____ : ____ : ____

② ㉠ : ㉡ = 3 : 4 , ㉡ : ㉢ = 5 : 4

➡ ㉠ : ㉡ : ㉢ = ____ : ____ : ____

③ ㉡ : ㉢ = 1 : 3 , ㉠ : ㉢ = 1 : 7

➡ ㉠ : ㉡ : ㉢ = ____ : ____ : ____

④ ㉠ : ㉡ = 5 : 2 , ㉠ : ㉢ = 7 : 4

➡ ㉠ : ㉡ : ㉢ = ____ : ____ : ____

⑤ ㉠ : ㉢ = 2 : 3 , ㉡ : ㉢ = 6 : 7

➡ ㉠ : ㉡ : ㉢ = ____ : ____ : ____

⑥ ㉠ + ㉡ = 32, ㉠ : ㉡ = 3 : 5

➡ ㉠ = ____ ㉡ = ____

⑦ ㉠ + ㉡ = 81, ㉠ : ㉡ = 1 : 8

➡ ㉠ = ____ ㉡ = ____

⑧ ㉠ + ㉡ = 90, ㉠ : ㉡ = 11 : 4

➡ ㉠ = ____ ㉡ = ____

⑨ ㉠ + ㉡ = 192, ㉠ : ㉡ = 5 : 7

➡ ㉠ = ____ ㉡ = ____

⑩ ㉠ + ㉡ = 105, ㉠ : ㉡ = 16 : 5

➡ ㉠ = ____ ㉡ = ____

연비와 비례배분

공부한 날	월 일
점수	/10

문제를 읽고 답을 구하세요.

① ㉠ : ㉡ = 5 : 4 , ㉠ : ㉢ = 4 : 5

➡ ㉠ : ㉡ : ㉢ = ____ : ____ : ____

② ㉠ : ㉡ = 3 : 2 , ㉡ : ㉢ = 8 : 7

➡ ㉠ : ㉡ : ㉢ = ____ : ____ : ____

③ ㉡ : ㉢ = 3 : 4 , ㉠ : ㉢ = 5 : 6

➡ ㉠ : ㉡ : ㉢ = ____ : ____ : ____

④ ㉠ : ㉡ = 4 : 7 , ㉠ : ㉢ = 2 : 3

➡ ㉠ : ㉡ : ㉢ = ____ : ____ : ____

⑤ ㉠ : ㉢ = 3 : 4 , ㉡ : ㉢ = 5 : 7

➡ ㉠ : ㉡ : ㉢ = ____ : ____ : ____

⑥ ㉠ + ㉡ = 48, ㉠ : ㉡ = 3 : 1

➡ ㉠ = ____ ㉡ = ____

⑦ ㉠ + ㉡ = 1000, ㉠ : ㉡ = 5 : 3

➡ ㉠ = ____ ㉡ = ____

⑧ ㉠ + ㉡ = 52, ㉠ : ㉡ = 2 : 11

➡ ㉠ = ____ ㉡ = ____

⑨ ㉠ + ㉡ = 78, ㉠ : ㉡ = 9 : 4

➡ ㉠ = ____ ㉡ = ____

⑩ ㉠ + ㉡ = 256, ㉠ : ㉡ = 9 : 7

➡ ㉠ = ____ ㉡ = ____

연비와 비례배분

공부한 날 월 일
점수 /10

문제를 읽고 답을 구하세요.

① ㉠:㉡=3:1, ㉠:㉢=5:3

➡ ㉠:㉡:㉢= ____ : ____ : ____

② ㉠:㉡=2:5, ㉡:㉢=3:5

➡ ㉠:㉡:㉢= ____ : ____ : ____

③ ㉡:㉢=4:7, ㉠:㉢=3:2

➡ ㉠:㉡:㉢= ____ : ____ : ____

④ ㉠:㉡=5:4, ㉠:㉢=6:7

➡ ㉠:㉡:㉢= ____ : ____ : ____

⑤ ㉠:㉢=3:5, ㉡:㉢=2:7

➡ ㉠:㉡:㉢= ____ : ____ : ____

⑥ ㉠+㉡=38, ㉠:㉡=13:6

➡ ㉠= ____ ㉡= ____

⑦ ㉠+㉡=64, ㉠:㉡=13:3

➡ ㉠= ____ ㉡= ____

⑧ ㉠+㉡=126, ㉠:㉡=9:5

➡ ㉠= ____ ㉡= ____

⑨ ㉠+㉡=143, ㉠:㉡=5:8

➡ ㉠= ____ ㉡= ____

⑩ ㉠+㉡=310, ㉠:㉡=1:9

➡ ㉠= ____ ㉡= ____

연비와 비례배분

공부한 날	월 일
점수	/10

문제를 읽고 답을 구하세요.

① ㉠ : ㉡ = 3 : 4 , ㉠ : ㉢ = 2 : 7

➡ ㉠ : ㉡ : ㉢ = ____ : ____ : ____

② ㉠ : ㉡ = 9 : 4 , ㉡ : ㉢ = 3 : 5

➡ ㉠ : ㉡ : ㉢ = ____ : ____ : ____

③ ㉡ : ㉢ = 2 : 1 , ㉠ : ㉢ = 7 : 3

➡ ㉠ : ㉡ : ㉢ = ____ : ____ : ____

④ ㉠ : ㉡ = 3 : 4 , ㉠ : ㉢ = 2 : 3

➡ ㉠ : ㉡ : ㉢ = ____ : ____ : ____

⑤ ㉠ : ㉢ = 4 : 7 , ㉡ : ㉢ = 5 : 9

➡ ㉠ : ㉡ : ㉢ = ____ : ____ : ____

⑥ ㉠ + ㉡ = 62, ㉠ : ㉡ = 28 : 3

➡ ㉠ = ____ ㉡ = ____

⑦ ㉠ + ㉡ = 155, ㉠ : ㉡ = 29 : 2

➡ ㉠ = ____ ㉡ = ____

⑧ ㉠ + ㉡ = 132, ㉠ : ㉡ = 8 : 3

➡ ㉠ = ____ ㉡ = ____

⑨ ㉠ + ㉡ = 125, ㉠ : ㉡ = 3 : 2

➡ ㉠ = ____ ㉡ = ____

⑩ ㉠ + ㉡ = 260, ㉠ : ㉡ = 8 : 5

➡ ㉠ = ____ ㉡ = ____

연비와 비례배분

공부한 날 월 일
점수 /10

문제를 읽고 답을 구하세요.

① ㉠ : ㉡ = 2 : 7 , ㉠ : ㉢ = 7 : 2

➡ ㉠ : ㉡ : ㉢ = ____ : ____ : ____

② ㉠ : ㉡ = 5 : 6 , ㉡ : ㉢ = 7 : 3

➡ ㉠ : ㉡ : ㉢ = ____ : ____ : ____

③ ㉡ : ㉢ = 5 : 3 , ㉠ : ㉢ = 7 : 9

➡ ㉠ : ㉡ : ㉢ = ____ : ____ : ____

④ ㉠ : ㉡ = 12 : 5 , ㉠ : ㉢ = 8 : 7

➡ ㉠ : ㉡ : ㉢ = ____ : ____ : ____

⑤ ㉠ : ㉢ = 9 : 4 , ㉡ : ㉢ = 25 : 8

➡ ㉠ : ㉡ : ㉢ = ____ : ____ : ____

⑥ ㉠ + ㉡ = 80, ㉠ : ㉡ = 11 : 9

➡ ㉠ = ____ ㉡ = ____

⑦ ㉠ + ㉡ = 96, ㉠ : ㉡ = 1 : 1

➡ ㉠ = ____ ㉡ = ____

⑧ ㉠ + ㉡ = 68, ㉠ : ㉡ = 9 : 8

➡ ㉠ = ____ ㉡ = ____

⑨ ㉠ + ㉡ = 144, ㉠ : ㉡ = 17 : 7

➡ ㉠ = ____ ㉡ = ____

⑩ ㉠ + ㉡ = 320, ㉠ : ㉡ = 3 : 2

➡ ㉠ = ____ ㉡ = ____

MEMO

우리 아이 첫 수학은 유자수 가 답이다

보드마카와
붙임 딱지로
즐겁게

내 아이에게
딱 맞는
엄마표 문제

재미있게
스스로
반복학습

방송에서 화제가 된 바로 그 교재!

생각과 자신감이 커지는 유아 자신감 수학!

방송 영상

유자수 소개 영상

원리셈

천종현 지음

6학년 4

비례식과 비례배분

천종현수학연구소

1주차 - 비와 비례식

10쪽

①	15	15
②	8	8
③	28	28
④	33	33
⑤	4	4
⑥	42	42

11쪽

①	3	6	②	2	3
	6			3	
③	3	24	④	5	2
	24			2	
⑤	4	16	⑥	2	2
	16			2	
⑦	4	36	⑧	5	5
	36			5	

12쪽

①	3		3	②	4		4
		21				4	
		21				4	
③	5		5	④	4		4
		20				12	
		20				12	
⑤	4		4	⑥	3		3
		20				75	
		20				75	
⑦	9		9	⑧	2		2
		5				15	
		5				15	

13쪽

①	3	3	3	4	5
②	8	8	8	4	3
③	16	16	16	5	3
④	18	18	18	5	2
⑤	11	11	11	3	4
⑥	9	9	9	2	9

14쪽

①	24	24	24	15	28
②	20	20	20	15	16
③	18	18	18	21	10
④	12	12	12	9	10
⑤	33	33	33	6	22
⑥	45	45	45	25	6

15쪽

①	6 / 7	6 / 7	3	10
②	18 / 3	18 / 3	9	2
③	40 / 3	40 / 3	5	12
④	10 / 3	10 / 3	5	9

16쪽

①	1	3	②	9	2
③	5	7	④	4	5
⑤	40	51	⑥	15	16
⑦	3	5	⑧	4	3

17쪽

①	23	47	②	4	3
③	3	1	④	4	15
⑤	5	1	⑥	3	5
⑦	51	2	⑧	12	5
⑨	3	4	⑩	25	16
⑪	15	2	⑫	5	11

18쪽

①	1	5	②	1	12	③	5	2
④	1	3	⑤	70	11	⑥	5	3
⑦	8	3	⑧	17	5	⑨	2	3

19쪽

①	7	7	②	7	7
③	6	6	④	21	21
⑤	6	6	⑥	20	20

20쪽

①	35	②	20
③	$\frac{8}{3}$	④	9.9
⑤	7	⑥	30
⑦	10	⑧	2
⑨	$\frac{20}{21}$	⑩	55
⑪	7	⑫	3
⑬	$\frac{3}{5}$	⑭	117

21쪽

①	15	②	21
③	7	④	6
⑤	0.3	⑥	10
⑦	13	⑧	3
⑨	3	⑩	40
⑪	9	⑫	48

22쪽

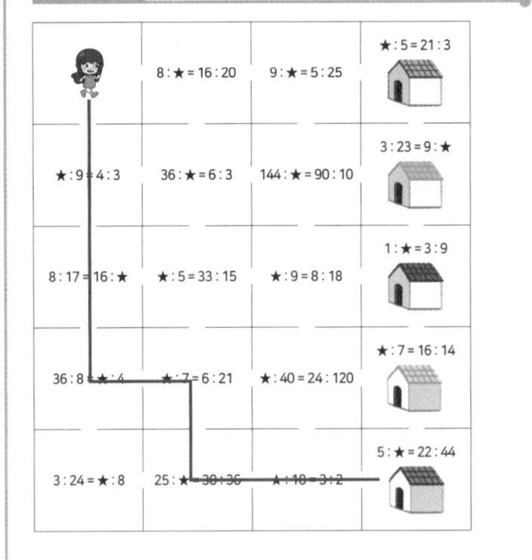

23쪽

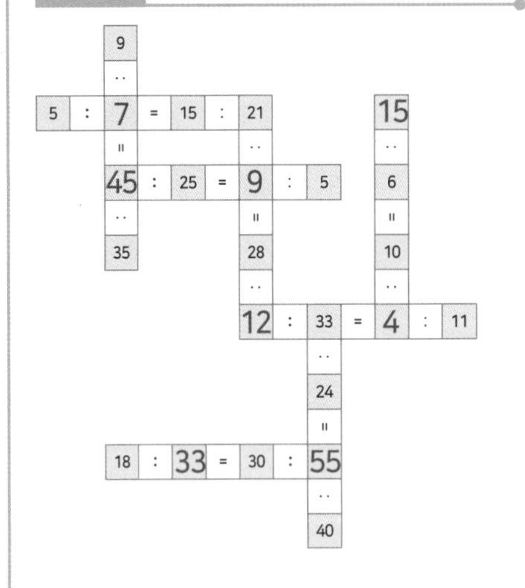

24쪽

①	3:5=9:15 3:9=5:15	②	4:12=7:21 21:12=7:4
③	3:21=5:35 3:5=21:35	④	9:7=36:28 28:7=36:9
⑤	22:33=12:18 22:12=33:18	⑥	34:17=16:8 8:17=16:34

2주차 - 비례식의 사용

26쪽

①	18:12=9:6	②	3:5=9:15
③	3:18=5:30	④	4:12=9:27
⑤	4:7=20:35	⑥	5:4=30:24

27쪽

①	15:18=20:24	②	4:7=24:42
③	4:5=20:25	④	7:6=14:12
⑤	8:7=40:35	⑥	1:3=9:27
⑦	3:2=15:10	⑧	6:3=16:8

28쪽

①	90 90	②	126 126
③	350 350	④	72 72
⑤	144 144	⑥	120 120
⑦	80 80	⑧	60 60
⑨	84 84	⑩	160 160

29쪽

		①	20 7×□ 5×28
②	90 3×150 5×□	③	16 7×□ 4×28

30쪽

① 2
6×10
30×□

② 12
0.9×20
1.5×□

③ 16
$\square\times\frac{1}{4}$
$5\times\frac{4}{5}$

④ 24
0.4×□
16×0.6

⑤ 3
48×□
36×4

⑥ 2
450×□
3×300

31쪽

① 50 ② 9
③ 100 ④ 15
⑤ 20 ⑥ 21
⑦ 10 ⑧ 4
⑨ 12 ⑩ 11
⑪ 2 ⑫ 5

32쪽

① 3
10

② 10
16

③ 44
18

④ 9
50

⑤ 52
16

33쪽

① 16 45 ② 6 42
③ 48 15 ④ 40 18
⑤ 21 24 ⑥ 42 20
⑦ 27 56 ⑧ 15 66
⑨ 12 35 ⑩ 24 15

34쪽

① 10 6 ② 15 2
③ 6 12 ④ 5 4
⑤ 10 3 ⑥ 8 27
⑦ 14 12 ⑧ 20 6

35쪽

① 27 ② 21
③ 14 ④ 28

36쪽

① 12 ② 25
③ 40 ④ 14

37쪽

① 12 ② 7 48
③ 20 ④ 40 24
⑤ 9 ⑥ 48 25
⑦ 27 ⑧ 4 21

38쪽

① 128
② 28
③ 150
④ 55
⑤ 18

39쪽

① 24
② 4.2
③ 1050
④ 24
⑤ 40

40쪽

① 30600
② 162
③ 3
④ 7000
⑤ 180

3주차 - 도전! 계산왕

42쪽

① 24 ② 8 ③ 28
④ 2 ⑤ 7.2 ⑥ 13
⑦ 4 12 ⑧ 5 12
⑨ 49 36 ⑩ 8 10
⑪ 9 8 ⑫ 5 10

43쪽

① 33 ② 4 ③ 42
④ 2 ⑤ $\frac{1}{9}$ ⑥ 1.6
⑦ 56 18 ⑧ 8 45
⑨ 10 250 ⑩ 30 40
⑪ 2 52 ⑫ 5 $\frac{1}{5}$

44쪽

① 6.4 ② 12 ③ 20
④ 1.6 ⑤ $\frac{8}{25}$ ⑥ 7.5
⑦ 100 50 ⑧ 45 5
⑨ 15 33.6 ⑩ 2 14
⑪ 15 $\frac{3}{2}$ ⑫ 39 4

45쪽

① 4 ② 27 ③ 162
④ 32 ⑤ 6 ⑥ 2
⑦ 8 50 ⑧ 5 24
⑨ 720 48 ⑩ 30 40
⑪ 8 63 ⑫ 18 7

46쪽

① 28 ② 8 ③ 18
④ 12 ⑤ $\frac{1}{12}$ ⑥ 0.8
⑦ 21 35 ⑧ 30 7
⑨ 48 9 ⑩ 20 9
⑪ 30 9 ⑫ 30.4 62.5

47쪽

① 7 ② 9 ③ 360
④ 2 ⑤ 40 ⑥ 35
⑦ 9 40 ⑧ 25 68
⑨ 30 42 ⑩ $\frac{2}{3}$ 70
⑪ 10 57 ⑫ 6 16

48쪽

① 40 ② 48 ③ 16
④ 4.8 ⑤ $1\frac{3}{4}$ ⑥ 44
⑦ 135 28 ⑧ 18 18
⑨ 22 108 ⑩ 9 14
⑪ 2 6 ⑫ 30 14

49쪽

① 3 ② 11 ③ 4
④ 6 ⑤ 6.5 ⑥ 6
⑦ 66 66 ⑧ 15 160
⑨ 675 20 ⑩ 60 128
⑪ 42 2 ⑫ 40 20

50쪽

① 12 ② 96 ③ 28
④ 4 ⑤ $\frac{2}{5}$ ⑥ 4
⑦ 10 10 ⑧ 6 6
⑨ 16 50 ⑩ 60 13
⑪ 1 $\frac{40}{3}$ ⑫ 34 9

51쪽

① 33 ② 160 ③ 6
④ 63 ⑤ 6 ⑥ 2
⑦ 30 7 ⑧ 10 56
⑨ 40 6 ⑩ 316 60
⑪ 105 4 ⑫ 20 6

4주차 - 연비

54쪽

① 5, 3 ② 7, 7

③ 4, 2 ④ 8, 10

⑤ 11, 7 ⑥ 5, 5

55쪽

① 12 15

② 4 12 ③ 6 20

④ 36 12 ⑤ 81 9

⑥ 12 40 ⑦ 72 56

⑧ 4 4 ⑨ 10 45

56쪽

① 3, 3 ② 13, 13

③ 9, 7 ④ 7, 5

⑤ 44 8 ⑥ 7 49

⑦ 36 81 ⑧ 4 44

⑨ 64 32 ⑩ 48 84

57쪽

① 4 9 12 / 3 5 5 / 12 5

② 7 27 3 / 9 14 2 / 3 2

③ 8 7 8 / 7 5 5 / 8 5

④ 7 5 7 / 15 9 27 / 7 27

58쪽

① 5 4 5 / 8 3 6 / 5 6

② 6 10 12 / 5 7 7 / 12 7

③ 3 4 1 / 8 3 2 / 1 2

④ 7 5 7 / 15 3 9 / 7 9

⑤ 10 21 6 / 7 5 1 / 6 1

⑥ 12 20 16 / 5 9 3 / 16 3

분수를 곱하는 순서는 바뀔 수 있습니다.

59쪽

① 1 3 ② 1 2

③ 1 4 ④ 18 5

⑤ 10 1 ⑥ 2 3

60쪽

① 3 5 / 5 8 / 3 5 8 / 3:5:8

② 18 5 / 12 7 / 36 10 21 / 36:10:21

③ 3 10 / 4 5 / 3 8 10 / 3:8:10

④ 5 12 / 7 24 / 7 10 24 / 7:10:24

61쪽

① 3 7 / 7 2 / 21 49 6 / 21:49:6

② 12 7 / 6 5 / 12 7 10 / 12:7:10

③ 5 12 / 4 3 / 5 16 12 / 5:16:12

④ 3 20 / 9 10 / 18 3 20 / 18:3:20

⑤ 7 10 / 7 30 / 21 7 30 / 21:7:30

⑥ 5 1 / 20 3 / 20 4 3 / 20:4:3

62쪽

① 8 3 / 4 5 / 8 3 10 / 8:3:10

② 7 15 / 4 3 / 20 7 15 / 20:7:15

③ 11 30 / 7 20 / 22 21 60 / 22:21:60

④ 8 15 / 7 30 / 7 16 30 / 7:16:30

63쪽

① 21:49:6 ② 9:14:12

③ 9:8:30 ④ 60:25:4

⑤ 15:16:42 ⑥ 15:10:36

⑦ 20:3:48 ⑧ 36:40:15

64쪽

① 5:6:15 ② 5:6:8

③ 10:9:24 ④ 60:9:16

⑤ 9:20:96 ⑥ 30:14:9

⑦ 14:9:24 ⑧ 45:7:20

65쪽

① 12:15:10

② 9:15:8

③ 18:6:5

④ 27:16:10

66쪽

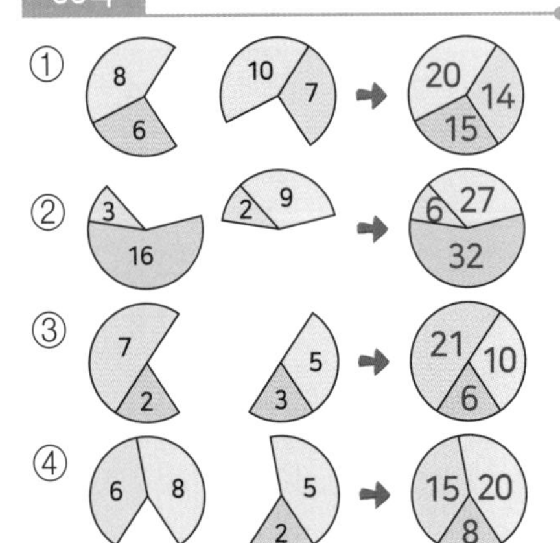

67쪽

㉠:㉡=1:3, ㉠:㉢=2:5 ➡ ㉠:㉡:㉢=2:6:5	㉠:㉡=3:2, ㉡:㉢=7:2 ➡ ㉠:㉡:㉢=21:14:4
㉠:㉡=5:3, ㉠:㉢=4:7 ➡ ㉠:㉡:㉢=20:12:35	㉠:㉡=1:5, ㉡:㉢=1:7 ➡ ㉠:㉡:㉢=~~1:5:7~~ 1:5:35

㉠:㉡=4:5, ㉠:㉢=3:2 ➡ ㉠:㉡:㉢=12:15:8	㉠:㉡=8:3, ㉡:㉢=8:5 ➡ ㉠:㉡:㉢=~~8:3:5~~ 64:24:15
㉠:㉡=10:7, ㉠:㉢=5:2 ➡ ㉠:㉡:㉢=10:7:4	㉠:㉡=1:3, ㉡:㉢=9:7 ➡ ㉠:㉡:㉢=3:9:7

68쪽

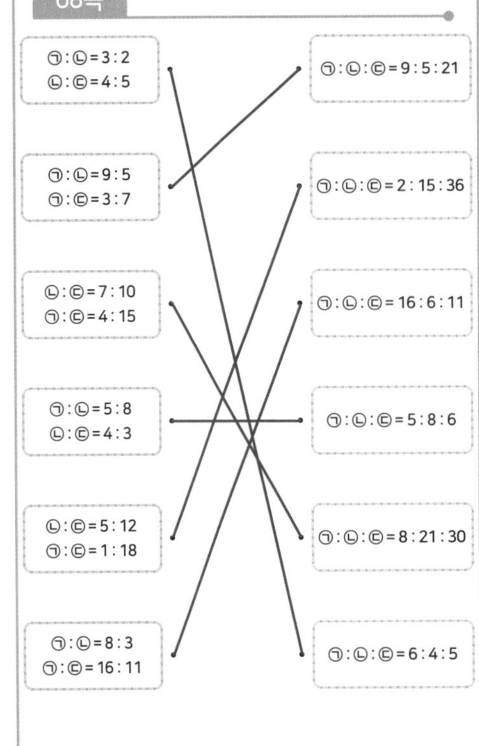

5주차 - 비례배분

70쪽

① 3 5 / 5 8 / 3 8

② 3 2 / 2 5 / 3 5

③ 8 7 / 7 15 / 8 15

④ 3 1 / 1 4 / 3 4

⑤ 1 2 / 2 3 / 1 3

71쪽

① $\frac{7}{7+3}$ 35, $\frac{3}{7+3}$ 15 ② $\frac{5}{5+3}$ 30, $\frac{3}{5+3}$ 18

③ $\frac{4}{4+7}$ 12, $\frac{7}{4+7}$ 21 ④ $\frac{5}{5+4}$ 40, $\frac{4}{5+4}$ 32

72쪽

① $20\times\frac{2}{5}$ 8, $20\times\frac{3}{5}$ 12 ② $36\times\frac{5}{12}$ 15, $36\times\frac{7}{12}$ 21

③ $50\times\frac{3}{10}$ 15, $50\times\frac{7}{10}$ 35 ④ $49\times\frac{3}{7}$ 21, $49\times\frac{4}{7}$ 28

⑤ $39\times\frac{4}{13}$ 12, $39\times\frac{9}{13}$ 27 ⑥ $75\times\frac{8}{15}$ 40, $75\times\frac{7}{15}$ 35

73쪽

① 32 24 ② 40 5

③ 20 32 ④ 44 36

74쪽

① 66 55 ② 50 70

③ 27 3 ④ 35 55

⑤ 26 32 ⑥ 74 37

75쪽

①	30	42	②	35	45
③	15	36	④	27	15
⑤	21	14	⑥	88	11
⑦	12	120	⑧	36	60

76쪽

①	25	5	②	22	55
③	48	52	④	10	70
⑤	66	18	⑥	3	15

77쪽

①	14	49	②	30	50
③	30	36	④	91	39
⑤	48	64	⑥	20	75
⑦	39	48	⑧	4	36

78쪽

①	40	35	②	25	35
③	20	15	④	88	8
⑤	60	24	⑥	44	60
⑦	2	46	⑧	33	55

79쪽

660
300 | 360
20 | 24

660
264 | 396
22 | 33

440
160 | 280
16 | 28

504
336 | 168
28 | 14

550
300 | 250
30 | 25

440
120 | 320
12 | 32

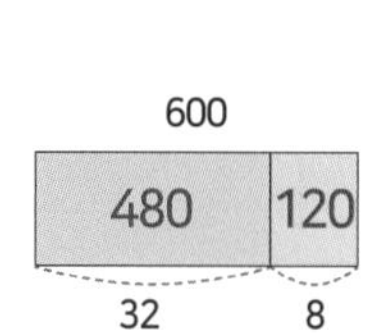

490
140 | 350
14 | 35

80쪽

			①	12	40
②	44	24	③	50	40
④	48	64	⑤	48	48

81쪽

①	180	140	②	100	40
③	200	360	④	200	350
⑤	720	120	⑥	110	220
⑦	210	240	⑧	160	360

82쪽

① 14

② 10500

③ 150

④ 100

⑤ 24

83쪽

① 90

② 10

③ 44

④ 40

⑤ 20

84쪽

① 25

② 14

③ 21

④ 12

⑤ 35

6주차 - 도전! 계산왕

86쪽

① 4:6:5 ② 10:12:21
③ 2:30:21 ④ 12:20:27
⑤ 10:6:15 ⑥ 32 24
⑦ 30 18 ⑧ 42 30
⑨ 70 56 ⑩ 24 36

87쪽

① 6:10:3 ② 8:6:5
③ 5:2:3 ④ 15:21:25
⑤ 27:35:63 ⑥ 21 15
⑦ 35 15 ⑧ 81 54
⑨ 63 49 ⑩ 91 49

88쪽

① 20:32:15 ② 9:15:25
③ 5:12:9 ④ 30:35:12
⑤ 10:9:15 ⑥ 16 10
⑦ 3 6 ⑧ 37 37
⑨ 65 10 ⑩ 245 105

89쪽

① 12:9:2 ② 32:40:25
③ 5:6:14 ④ 35:25:42
⑤ 21:32:56 ⑥ 14 84
⑦ 35 63 ⑧ 55 10
⑨ 65 52 ⑩ 110 70

90쪽

① 3:2:21 ② 4:14:21
③ 12:45:20 ④ 21:35:24
⑤ 15:8:5 ⑥ 80 20
⑦ 78 6 ⑧ 27 15
⑨ 60 105 ⑩ 130 52

91쪽

① 20:4:5 ② 15:20:16
③ 3:7:21 ④ 35:14:20
⑤ 14:18:21 ⑥ 12 20
⑦ 9 72 ⑧ 66 24
⑨ 80 112 ⑩ 80 25

92쪽

① 20:16:25 ② 12:8:7
③ 10:9:12 ④ 4:7:6
⑤ 21:20:28 ⑥ 36 12
⑦ 625 375 ⑧ 8 44
⑨ 54 24 ⑩ 144 112

93쪽

① 15:5:9 ② 6:15:25
③ 21:8:14 ④ 30:24:35
⑤ 21:10:35 ⑥ 26 12
⑦ 52 12 ⑧ 81 45
⑨ 55 88 ⑩ 31 279

94쪽

① 6:8:21 ② 27:12:20
③ 7:6:3 ④ 6:8:9
⑤ 36:35:63 ⑥ 56 6
⑦ 145 10 ⑧ 96 36
⑨ 75 50 ⑩ 160 100

95쪽

① 14:49:4 ② 35:42:18
③ 7:15:9 ④ 24:10:21
⑤ 18:25:8 ⑥ 44 36
⑦ 48 48 ⑧ 36 32
⑨ 102 42 ⑩ 192 128

총괄 테스트 정답

총괄 테스트

이름 점수

01 빈 곳에 알맞은 수를 써넣으세요.

① $4:5=(4\times5):(5\times \boxed{5})=20:\boxed{25}$

➡ $4:5=20:\boxed{25}$

② $16:10=(16\div2):(10\div\boxed{2})=8:\boxed{5}$

➡ $16:10=8:\boxed{5}$

02 비를 가장 간단한 자연수의 비로 나타내려고 합니다. 빈 곳에 알맞은 수를 써넣으세요.

① $8.1:5.7=\boxed{27}:\boxed{19}$

② $3\frac{3}{4}:1\frac{1}{4}=\boxed{3}:\boxed{1}$

03 설명을 보고 비례식을 완성하세요.

① 비율은 $\frac{1}{3}$, 내항은 9, 12

$\boxed{4}:\boxed{12}=\boxed{9}:27$

② 비율은 $\frac{5}{7}$, 내항의 곱은 140

$\boxed{5}:7=\boxed{20}:\boxed{28}$

04 문제를 읽고 답을 구하세요.

① $\frac{5}{7}=\frac{25}{★}$ ➡ ★ = 35

② $\frac{11}{3}=\frac{★}{9}$ ➡ ★ = 33

③ $\frac{7}{15}=\frac{35}{★}$ ➡ ★ = 75

④ $\frac{5}{2}=\frac{★}{10}$ ➡ ★ = 25

05 빈 곳에 알맞은 수를 써넣으세요.

① $8:5=24:$ 15

② 6 $:9=12:18=40:$ 60

③ $21:10=70:\frac{100}{3}=\frac{7}{12}:\frac{5}{18}$

06 빈 곳에 알맞은 수를 써넣으세요.

㉠:㉡ = 7:5, ㉡:㉢ = 15:11

➡ $\frac{㉠}{㉢}=\frac{㉠}{㉡}\times\frac{㉡}{㉢}=\frac{7}{5}\times\frac{15}{11}=\frac{21}{11}$

➡ ㉠:㉢ = 21 : 11

07 ㉠, ㉡, ㉢의 비를 구하세요.

① ㉠:㉢ = 5:12, ㉡:㉢ = 3:16

➡ ㉠:㉡:㉢ = 20 : 9 : 48

② ㉠:㉡ = 20:7, ㉠:㉢ = 5:4

➡ ㉠:㉡:㉢ = 20 : 7 : 16

08 빈 곳에 알맞은 수를 써넣으세요.

① ㉠+㉡ = 84, ㉠:㉡ = 2:5

$㉠=84\times\frac{2}{7}=24$

$㉡=84\times\frac{5}{7}=60$

② ㉠+㉡ = 95, ㉠:㉡ = 4:1

$㉠=95\times\frac{4}{5}=76$

$㉡=95\times\frac{1}{5}=19$

09 문제를 읽고 답을 구하세요.

① ㉠+㉡ = 132, ㉠:㉡ = 5:6

➡ ㉠ = 60 ㉡ = 72

② ㉠+㉡ = 64, ㉠:㉡ = 5:3

➡ ㉠ = 40 ㉡ = 24

10 기영이와 나윤이의 몸무게의 비는 4:5, 기영이와 다람이의 몸무게의 비는 5:6입니다. 기영이, 나윤이, 다람이의 몸무게의 비를 구하세요.

답: (기영):(나윤):(다람) = 20 : 25 : 24

11 비를 가장 간단한 자연수의 비로 나타내려고 합니다. 빈 곳에 알맞은 수를 써넣으세요.

① $4.5:6.5=\boxed{9}:\boxed{13}$

② $\frac{19}{4}:\frac{19}{16}=\boxed{4}:\boxed{1}$

12 3장의 수 카드를 한 번씩만 사용하여 비례식을 완성하세요. 각각 두 가지 방법이 있어요.

① 7 16 28

➡ $4:\boxed{7}=\boxed{16}:\boxed{28}$

$4:\boxed{16}=\boxed{7}:\boxed{28}$

② 3 24 32

➡ $\boxed{3}:4=\boxed{24}:\boxed{32}$

$\boxed{32}:4=\boxed{24}:\boxed{3}$

13 빈 곳에 알맞은 수를 써넣으세요.

① $15:12=5:$ 4

② 30 $:18=50:30=10:$ 6

③ $1.2:3.2=6:$ 16 = 9 $:24$

14 설명을 보고 비례식을 완성하세요.

① 비율은 $\frac{5}{11}$, 내항은 11, 10

$\boxed{5}:\boxed{11}=\boxed{10}:22$

② 비율은 $\frac{7}{4}$, 내항의 곱은 84

$\boxed{7}:4=\boxed{21}:\boxed{12}$

15 빈 곳에 알맞은 수를 써넣으세요.

① $20:5=24:$ 6

② 4 $:10=28:70=8:$ 20

③ $9:20=27:$ 60 $=\frac{3}{8}:\frac{5}{6}$

16 빈 곳에 알맞은 수를 써넣으세요.

㉠:㉡ = 21:10, ㉠:㉢ = 7:2

➡ $\frac{㉡}{㉢}=\frac{㉠}{㉢}\times\frac{㉡}{㉠}=\frac{7}{2}\times\frac{10}{21}=\frac{5}{3}$

➡ ㉡:㉢ = 5 : 3

17 빈 곳에 알맞은 수를 써넣으세요.

① ㉠+㉡ = 108, ㉠:㉡ = 2:7

$㉠=108\times\frac{2}{9}=24$

$㉡=108\times\frac{7}{9}=84$

② ㉠+㉡ = 78, ㉠:㉡ = 2:1

$㉠=78\times\frac{2}{3}=52$

$㉡=78\times\frac{1}{3}=26$

18 문제를 읽고 답을 구하세요.

① ㉠+㉡ = 140, ㉠:㉡ = 2:5

➡ ㉠ = 40 ㉡ = 100

② ㉠+㉡ = 125, ㉠:㉡ = 12:13

➡ ㉠ = 60 ㉡ = 65

19 문제를 읽고 답을 구하세요.

① ㉠:㉢ = 5:4, ㉡:㉢ = 7:3

➡ ㉠:㉡:㉢ = 15 : 28 : 12

② ㉠:㉡ = 2:3, ㉠:㉢ = 6:7

➡ ㉠:㉡:㉢ = 6 : 9 : 7

20 노란색, 파란색 물감을 3 : 4의 비로 섞어 초록색 물감을 만듭니다. 초록색 물감 49 g을 만들려면 노란색 물감 몇 g이 필요한가요?

답: 21 g

원리 이해

다양한 계산 방법

충분한 연습

성취도 확인

그 많은 문제를 풀고도 몰랐던

초등 사고력 수학의 원리 1
초등 사고력 수학의 전략 2

- 초등 사고력 수학의 원리 1
  원리는 수학의 시작
- 초등 사고력 수학의 전략 2
  문제해결은 수학의 끝

✓ **진정한 수학 실력은** 원리의 이해와 문제 해결 전략에서 나온다.

✓ **수학의 시작과 끝을** 제대로 알고 수학 실력 올리자!

✓ **재미있게 읽을 수 있는** 17년 초등 사고력 수학의 노하우

천종현수학연구소의 교재 흐름도

4세	5세	6세	7세	초1

유아 자신감 수학 만 3세

유아 자신감 수학 만 4세

유아 자신감 수학 만 5세

유아 자신감 수학 : 유아 수학 입문서

- 처음에는 엄마, 아빠와 함께, 나중에는 아이 스스로
- 개념의 이해부터 적용까지

원리셈 : 기본 연산 학습서

- 매일 10분씩 원리로부터 실력까지 연산의 완성!!
- 다양한 형태의 문제와 충분한 연습으로 쉽고 재미있게

키즈 원리셈 5, 6세

키즈 원리셈 6, 7세

키즈 원리셈 예비 초등 7, 8세

초등 원리셈 초등1

TOP사고력 : 사고력 수학의 으뜸

- 수학적 직관력 / 문제 이해력 기르기
- 영역별 나선형식 반복 학습 구조

탑사고력 K 단계

탑사고력 P 단계

탑사고력 A 단계

초2	초3	초4	초5	초6

초등 원리셈 초등2

초등 원리셈 초등3

초등 원리셈 초등4

초등 원리셈 초등5

초등 원리셈 초등6

탑사고력 A 단계

탑사고력 B 단계

TOP사고력 : 사고력 수학의 으뜸

- 수학적 직관력 / 문제 이해력 기르기
- 영역별 나선형식 반복 학습 구조

초등 사고력 수학의 원리 및 전략

- 원리의 이해와 문제 해결 전략을 통한 진정한 실력 향상
- 재미있게 읽을 수 있는 초등 사고력 수학의 노하우

초등사고력 수학의 원리

초등사고력 수학의 전략